財經企管 ③16

封面設計／黃淑雅

藍海策略
開創無人競爭的全新市場

Blue Ocean Strategy
How to Create Uncontested Market Space
and Make the Competition Irrelevant

By W. Chan Kim and Renée Mauborgne

金偉燦、莫伯尼　合著

黃秀媛　譯

譯者簡介

黃秀媛

　　台大外文系畢業，台灣大學外文研究所碩士，曾任《聯合報》、《世界日報》編譯。譯有《巨龍》、《生命在愛中成長》、《愈成熟愈快樂》、《男人新中年主張》、《十誡》、《半斤非八兩》、《杜拉克精選：社會篇》、《完全通路行銷》、《關鍵十年》、《沃爾瑪王朝》等（以上皆為天下文化出版）。

序

維持高獲利的藍海策略

——有價值的差異化、選擇性降低成本及創造有效新需求

朱博湧

（國立交通大學管理科學系教授）

　　八十年代以來，廠商奉爲圭臬的波特（Michael Porter）競爭策略之主流思考，是傳統以競爭爲中心的「紅海策略」。企業首先在產業中做選擇，一旦選定後，產業結構即告確定，企業在此結構下，透過策略擬定，取得最有利的位置。一般策略包括低成本、差異化，或專注經營於某一特殊市場區隔，透過低成本或差異化，來提高公司績效，在產業架構不能改變的假設前提下，對所有競爭者而言，這是一種零和遊戲。欲達到公司較佳的獲利，常常必須根據個別客戶的獨

特需求做客製化，將市場進一步細分，這樣的策略模式，企業雖然維持了獲利，但市場並無法成長。

紅海策略──以競爭爲中心

企業若希望差異化，又要成本領導同時存在，是否有其可能性？如用競爭力公式（競爭力＝價值／成本）來看，追求價值的增加，另一方面在成本面又可以降低，這一向是策略的兩難，常是魚與熊掌無法兼顧，企業必須在兩者做一取捨：若要接受差異化只能提高成本，或接受價格下降，但透過成本大幅縮減以獲利，由這兩種方法中擇一以取得利潤。

上述「紅海策略」困難的取捨出現了，公司究竟要成長、還是要獲利？若要追求營收成長，由於市場競爭者眾，以比較小的毛利換取比較大的數量，不得不接受低獲利的殘酷現實，所謂從薄利到微利到現今的奈利，現在個人電腦及週邊科技產品，都是最好的實例；或是忍受成長限制，在小市場維持獲利，將客戶的客製化做得非常徹底，但由於很難複製，成長空間較少。因此如要營收成長又要獲利成長兩者皆得，不是變成非常困難就是不符實際。

這些是以競爭為中心「紅海策略」的主要思考，也是策略管理理論中，產業結構—廠商行為—績效（S-C-P）分析架構的主要精髓。產業的框框一旦固定，在其中競逐較大的市占率，顯然將是殘酷的存亡賽局。歐洲管理學院金偉燦與莫伯尼兩位教授所提出的「藍海策略」，是有別於波特著名競爭策略的另一種思考模式。他們認為產業的框架可能被改變，以創新為中心，將需求有效擴大，使產業的框框變大，產生新的領域，在新的領域中可能都沒有競爭者存在或競爭者寡，因而可有豐厚利潤，企業便得以兼顧成長與獲利。

藍海策略——以創新為中心

「藍海策略」邏輯的最大差別在於，不僅公司營收可以成長，同時獲利也可以成長，最重要的關鍵是消費者得到最大價值。其中祕訣是創造有效的新需求，進行有價值的差異化，策略定價模式與選擇性降低成本。以經濟學觀點來說，「藍海策略」創造最大的消費者剩餘（顧客的效益），同時產生比較大的生產者剩餘（獲利）。

「藍海策略」中最常用的例子是帥奇錶（Swiss Watch，Swatch）。Swatch 手錶將計時的理性功能訴求，轉變成時髦的產品，給消費者的印象是有格調並且具有時尚感，有別以往一個人一生只擁有一只瑞士錶，一個人會同時擁有多隻 Swatch 手錶。此外，Swatch 的策略模式定價範圍在 30～100 美元之間，與瑞士傳統手錶動輒美金數千、數萬元有很大差別。現在，Swatch 顧客平均購買年齡在 45 歲，而不只成年人，年輕人、小孩子、不同性別對 Swatch 皆有需求。也許有人會問，為何亞洲的公司無法模仿 Swatch 的模式？的確有人模仿，然而不僅在設計，在製造也有其進入障礙。Swatch 將瑞士錶原本多而複雜的元件大幅減少，成本也因為製程簡化（例如不用螺絲，改用雷射銲接）而大幅下降，即使 Swatch 在瑞士生產，仍比在亞洲生產便宜。Swatch 透過將理性訴求轉為感性訴求的價值創造，刺激需求；而成本方面，透過整個元件數量減少與流程的創新，即使與亞洲廉價勞工競爭，仍具競爭力，這便是「藍海策略」的精髓。不像「紅海策略」中，若欲成長則需忍受很低的獲利率，反之，欲維持穩定的獲利力則必須犧牲成長，「藍海策

略」的精神在創造有效需求，並將整體成本下降，使成長及獲利兩者得兼，此兩者的差別馬上得以突顯。

對亞太企業的啟示

「藍海策略」對台灣或亞太企業有什麼樣的啟示呢？台灣企業通常追求的是成本的優勢，但因策略同質化與競爭加劇的結果，使得利潤逐漸降低，在過去利率不高，股東對報酬的要求較低的情況下，尚可生存。但在全球化的潮流下，產品若無法差異化，會落入所謂「紅海策略」的流血競爭，最終將使大家均無利可圖。反觀「藍海策略」的邏輯，在於追求還沒有被開發的市場，以及尚未被創造的需求，只要能適當的掌握市場需求的趨勢，便能轉為企業成長的契機。除了 Swatch 之外，例如卡拉威（Callaway）針對非高爾夫玩家改良球桿，將球桿頭加大，吸引了原先視打高爾夫球為畏途而改打網球的人。要使「藍海策略」成功，應遵循幾個原則——首先就是將顧客較不重視的功能加以消除或簡化。例如太陽馬戲團，將有道德爭議、成本又高的動物表演項目取消，如此一來，就能夠大幅度地降低成本；另一方面，就是要將客戶重

視的需求，加以提升或創造，例如多普達（Dopod）的手機，同時結合 PDA 及 MP3 的功能，造成有價值的差異化。

由於差異化需要成本，因此對消費者若沒有價值，差異化對企業來說反而是一種負擔。「藍海策略」同時能降低成本，又能提供顧客更高的效益，進而創造新的需求，成為企業獨特的優勢，形成與競爭者間的競爭優勢，在價格上卻更加實惠，使企業能獲取更高利潤。「藍海策略」對台灣廠商的啟示是：一味追求成本降低畢竟有其極限，而廠商間缺乏差異化的結果，消費者將無從感受產品的獨特價值。台灣廠商應依循「藍海策略」的邏輯，去除客戶不需要的功能，降低成本之餘，重視顧客未被滿足的需求，並為顧客提供更高價值。另外對台灣的科技業者來說，應該思考的是其所研發的產品技術或功能，到底對顧客能否真正產生價值？如果沒有價值，對公司來說反而是一種成本。比方三星（Samsung）的手機，其製造成本與技術和台灣廠商應無大的差異，但卻能有其特殊的設計與訴求，例如專業人士所需的高階手機，以及女性消費者喜愛的粉餅機，因此客戶願意付更高價格去購

買。由此可知，台灣廠商對產品設計應有的思考，不是要盲目地囊括所有的功能，或追求最低的成本，而是要從顧客的眼光（customer insight）來深入了解，區別什麼是客戶真正重視的因素，而什麼是客戶並不在意的。對於客戶重視的部分，廠商要提供有別於競爭者的差異化，而客戶不在意或看不到的部分，便可利用共同的生產平台，藉此達到降低成本又可差異化的優勢。

面對未來全球化的挑戰，台灣廠商要學習站在消費者，而非生產者的觀點來思考，並有能力利用最有限的資源，來創造最有效的價值。《藍海策略》一書在韓國已成為政府與大企業集團的指定讀物，固然國內有部分人士主張台灣應當學習韓國大企業，例如三星與樂金（LG）的發展模式，但台灣企業多屬中小規模，韓國經驗未必能複製，也不必然適合台灣廠商。事實上我們應當效法的是韓國企業善用「藍海策略」的觀念，從顧客觀點著手，進一步掌握台灣自身的優勢，在國際市場尋求切入點，同時發展價值創造與成本降低的效益，相信台灣在全球化趨勢之產業價值鍊當中，將有機會扮演舉足輕重的角色。

序

超越競爭，邁向藍海

李紹唐

（北京甲骨文華東區及華西區董事總經理）

今年四月初，有位好友向我推薦一本必讀好書叫做《*Blue Ocean Strategy*》，我立刻買了原文書，讀完後打了通電話給高希均教授，請他務必買下版權並在台灣發行。沒想到高教授已經找人翻譯本書，也邀我撰寫序文。我義不容辭的答應了。

這本我一定要推薦的書就是《藍海策略》，作者是金偉燦與莫伯尼兩位歐洲管理學院的傑出學者。他們針對過去120多年來，30多種不同行業別採取的150多種策略行動（strategic move）進行分析，結果發現

大多數企業以價格競爭為本位，這樣只會形成廝殺局面慘烈的紅色海洋，而紅色海洋是市場萎縮的頭號殺手。企業的永續成功，需要不斷以創新的精神加上有競爭性的成本概念來經營，才能成為藍海型的企業。

邁向藍海的六大途徑

本書提出一套嚴謹的藍海策略架構，告訴企業如何同時追求高價值和低成本。例如，藍海策略的擬定，可以從六個途徑下手：

- 改造市場邊界
- 專注於願景而非數字
- 超越現有需求
- 策略次序要正確
- 克服重要組織障礙
- 把執行納入策略

以經營者的角度來看，我認為後面二大原則尤為重要。因為人通常不願接受改變，且缺乏執行力。當新的想法及策略推出，如何宣導並使員工參與，最後

克服介於目前做法（As is）及未來做法（To be）的中間障礙。藍海策略一再強調全新商場勝出邏輯——經營者不應該把競爭當做標竿，而是要超越競爭，開創自己的藍海商機。企業應該經常用下面四個問題自我檢驗：

- 在自己的行業要成功考量的因素中，有哪些已不適用而應消除（Eliminate）。
- 有哪些因素應該減少（Reduce）到遠低於行業中的標準規定。
- 有哪些因素應該提昇（Raise）到遠高於行業中的標準規定。
- 有哪些因素應該創造（Create）出來。

這四個問題能協助企業釐清自己的新價值曲線。接下來我要與大家分享書中的第一個成功藍海個案。

夕陽產業也能成功轉型

1982 年幾個來自魁北克會踩高蹺的年輕人，創建了太陽馬戲團（Cirque du Soleil）。他們利用過去流浪

式表演的馬戲團帳棚做為表演的場地，表演踩高蹺、雜耍、變戲法、吞火等特技。傳統的馬戲團向來都以討好兒童為主，太陽馬戲團不願跟當時的龍頭老大玲玲馬戲團（Ringling Bros. and Barnum & Bailey）競爭。相反的，太陽馬戲團洞悉到當時沒有人瞭望到的藍海。這層體認使太陽馬戲團走出紅色海洋的競爭路線，邁向全新的藍海領域。

　　太陽馬戲團體認到贏在未來唯一的選擇，就是要徹底跳脫同行競爭，另闢蹊徑，吸引全新客群。因此它「消除」了傳統馬戲的動物表演、中場休息時的叫賣小販；「減少」了特技表演帶來的驚險刺激。然而，太陽馬戲團居然可以「提昇」它的票價，締造前所未有的成功轉型，為什麼？

　　依據前面提出的四個問題，作者分析，太陽馬戲團「創造」出許多同業未提供的價值——它招募一批體操、游泳、跳水等專業運動員，好讓他們成為肢體的藝術家；它運用炫麗的燈光、華麗的服飾、撼人的音樂加上融合歌舞劇情的節目製作，創造感官新體驗。許多成年觀眾以及企業團體成了忠實觀眾，這些新客戶讓太陽馬戲團掙脫傳統桎梏，走上藍海道路。

設定你的藍海願景

本書的內容清晰有條理，且附有作者多年研究的許多案例，讀者只要循著書中漸層式的導引，就能領略箇中滋味，輕鬆為產品及企業打造一個新的前景。好書當然得跟大家分享。我個人在讀後也實務應用在工作中，帶領團隊學習這一個好用的工具暨理念。

看完這本書之後，我自己在想台灣未來的願景是什麼呢？兩岸三通和平相處或是有其他可能？不管最終的願景為何。我們為了要達到這願景，我們的目標在哪裡呢？為了要達到這些目標，我們的創新觀念或者說是策略性行動（strategic move）為何呢？最後我們要如何將這些想法融入執行計劃當中呢？我們國家的主要領導人是否也該好好讀完這本書，而將台灣的未來藍海策略擬定出來。因為台灣四面環海。應更能體認海洋的浩瀚。海洋的神祕力量。更希望台灣的未來是一片藍海而不至淪為紅色血腥。

所謂戲法人人會變，各有巧妙不同！太陽馬戲團玩出了新把戲。你呢？

藍海策略的時代來臨

──千山獨行、商機獨創、利益共享

高希均

（財團法人知識經濟與管理研究院創辦人）

　　書名中的「藍海」不是政治符號，而是一種商機無限的隱喻，意含一望無際的藍色海洋，正等待企業家們啓航追尋，鼓浪前進。

　　本書的二位作者金偉燦博士與莫伯尼博士，任教於歐洲商業管理學院，爲極負盛名的策略與管理教授。二位應《遠見》雜誌與「天下文化」邀請，在來台的短暫訪問中，做了二次演講，拜會了行政院謝院長及經建會胡主委，並接受媒體專訪。他們生動的演說與精彩的問答，引起了熱烈的迴響。

（一）從紅海競爭到藍海策略

「1990」年前後是 20 世紀人類歷史上一個重要的分水嶺。

1989 年柏林圍牆倒塌，解放了東歐人民的生活方式；1991 年蘇聯解體，從經濟觀點來看，以市場經濟為核心的資本主義，經過一個半世紀的纏鬥，終於獲得世界的肯定。順著這條道路前進，從今以後，人類的命運會擺脫貧窮，走向小康。經濟起飛中的中國大陸，就是個例證。

當市場經濟運作席捲歐亞大陸時，「競爭」就成了天經地義的遊戲規則，也成了企業優勝劣敗的最終裁判。面對全球化競爭，任何企業（特別是輸出導向的高科技及其他產業）一心一意思考的就是如何持續獲利。

這也是為什麼 1982 年《追求卓越》在美國出版後，立刻引起轟動；因為每一個企業都想邁向「卓越」——變成另一個 IBM、3M、惠普、德州儀器、柯達、波音、麥當勞……。在 2004 年的新版中，畢德士與華特曼再度強調卓越企業的八大特質：採取行動、

接近顧客、自主和企業精神、靠人提高生產力、親身實踐、堅守本業、組織單純、寬嚴並濟。

對那些在存亡邊緣的企業，比「追求卓越」更關鍵的是「打敗對手」，從慘烈競爭中脫穎而出。這就是為什麼在 1980 年代中，出現了哈佛大學教授波特的《競爭論》與《競爭策略》等相關學說。被譽為「世紀 CEO」的威爾許於 2005 年出版了《致勝》一書，也立刻洛陽紙貴。他反覆提出：「贏」才是真正的「偉大」。

不論是「追求卓越」、提升競爭力、或者「致勝」，都是在某個產業之內、企業之間，上演你死我活的火拼。這是一場慘烈的零和遊戲。永遠稱霸天下的產業及公司不易再現，正說明了「百年老店」可能成了歷史名詞。

就在此時，一個新的學說「藍海策略」出現在西方世界。也就是「脫離血腥競爭的紅色海洋，開創藍海商機」。

（二）突破性的觀念

每隔一段時間，總會有一些突破性的觀念與做法

出現在學術界與企業界。社會的進步就是靠這些觀念的出現；人類的福祉就是靠這些觀念的運用而增進。

「天下文化」不希望放過任何一個可以出好書的機會。近三年來出版的《執行力》、《應變》、《重新想像》、《致勝》，就是我們努力的結果；此刻出版《藍海策略》，更是這麼一個令人振奮的例子。我之推薦這本書，原因有三：

（1）這本書的立論是根據百年以來三十多種重要產業、百多件策略個案研究分析所獲得的結論。兩位作者共同花了十五年以上的時間才完成。它是一本理論與實證相互融合的著作。

（2）他們的研究實證：企業不可能永遠保持卓越，正如產業不可能永遠保持傑出。打破這個宿命的策略，就是要創造無人競爭的市場空間。它刺激企業去追求一個完全嶄新的想像空間與發展方向。

（3）面對市場競爭時，企業陷身於血流成河的紅海零和遊戲；藍海策略則打破傳統思維，追求「價值創新」（value innovation），不僅拋棄對手產生「替代」（substitutes）效應，更能對消費者產生「另類選擇」（alternatives）。它鼓舞企業要攀登新的高峰。

(三)「價值創新」的提出

1930 年代全球經濟大恐慌時，英國的大經濟學家凱因斯提出了「有效需要」（effective demand），用財政赤字，創造就業機會，挽救了陷入危機的資本主義，世稱「凱因斯革命」。

進入 21 世紀，全球企業競爭陷入前所未有的慘烈紅海之中。一邊以產品、價格、品質、成本、服務、產品差異、市場區隔等方式擊敗競爭者；另一邊又以產品通路、專利、仿冒、保護、開放、壟斷、獨佔等手段來占領市場。

「藍海策略」的二位作者，指出在兩邊夾殺中，打開出路的不是死守固定的市場（產業），也不是在圍城中寸土必爭；而是另建舞台，另闢市場，另找活水，對舊市場、舊產業揚長而去。在新環境中大顯身手。若干年後，或許稱「藍海策略的時代來臨」。

「藍海策略」就是不再做你輸我贏的競爭者，而是「價值創新」者。二位作者指出：「價值」和「創新」同樣重要；創建藍海成敗關鍵並非尖端科技的創新，也不是「進入市場的時機」，而是「創新」和「實

用」、「售價」和「成本」二組的密切配合。

在訂定藍海策略，創造新的價值曲線時，二位作者提出了「四項行動架構」（four actions framework）：（1）「消除」哪些產業內習以為常的因素？（2）「減少」哪些因素到遠低於產業標準？（3）「提升」哪些因素到高於產業標準？（4）「創造」哪些產業尚未提供的因素？（1）與（2）旨在節省成本，擴大需要；（3）與（4）是要強調「差異化」與「新價值」，提升產品價值。

與紅海策略相比，藍海策略的特色有五（詳見第一章）：

● 努力設法開創沒有競爭的「新市場」；

● 不與對手競爭，使「競爭」變得無關緊要；

● 創造出新的需求，並透過成本控制，追求持續領先；

● 同時追求顧客獲得的高價值與產品的低成本；

● 調整公司作業系統，給以完全的配合。

在構建藍海策略時，最關鍵的第一步就是重新對產品市場定位——亦即重建舊有的市場邊界。二位作者提出了創造藍海的「六大途徑架構」（six paths framework）：

（1）「價值創新」的機會往往來自各種產業的相鄰空間，也就是不要侷限於自己的產業，要勇敢地跨足「另類產業」。

（2）發掘或利用產業內的各種策略群組。所謂「策略群組」是指在產業中採行相同策略的公司。「藍海策略」要求深入探討顧客們的偏好是追求「講究」，還是「將就」。

（3）重新定義本業內的顧客群：他們是採購者、使用者、還是影響者，他們對「價值」的要求不同；同時要檢討顧客群的傳統思維，重新設計價值曲線，發掘出新的藍海。

（4）發掘產品互補和服務的商機：美國二大連鎖書店：博德士（Borders）與邦諾（Barnes & Noble）重新界定了書店賣書的行為，包括提供咖啡座等服務，使其營收大增。

（5）重新思考產品是訴諸理性還是感性：有的行業根據產品的效益，以價格和功能競爭，這屬理性訴求；有的行業跟感覺走，這便是感性訴求。二個成功的例子：一是帥奇錶，把理性的錶轉變為感性導向的

時尚；另一是美體小鋪，將感性導向的化妝品變成講究功能的美妝企業。大家熟知的星巴克徹底地重建了咖啡文化，從販賣咖啡變成販賣氣氛。

（6）從當前觀察到的趨勢來發掘商業契機，如CNN利用全球化浪潮的崛起，推出24小時播放新聞的頻道，而大受歡迎。

（四）「價值創新」是推動藍海策略的引擎

這本新著的重大貢獻就是提醒企業家，不要在自己熟悉的本業內，與其他同業惡性競爭；而是要以「價值創新」的方式，跨越本業，開拓沒人進入的領域，面前就會出現一片藍海。

「價值創新」是聚焦於為顧客和公司創造價值躍進。傳統的紅海策略是「價值─成本抵換」（the value-cost trade-off），亦即公司可以選擇較高的成本，為顧客創造更大的價值（如產品差異化方式）；或用較低的成本，創造合理的價值。開發藍海的公司，是以「價值創新」為工具，兼顧差異化和低成本。

書後附錄中（第314頁），借用一個圖說明這種基本的藍海策略。讓我們循序漸進逐一推理：

價值創新的市場動態

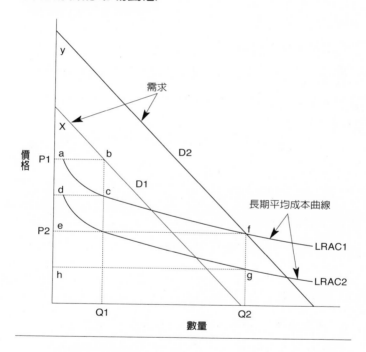

需要增加與價格下降：

（1）因為價值創新提升了產品的吸引力，需要曲線由 D1 向右移至 D2。

（2）同時採取策略定價，價格由 P1 下降到 P2，

以期吸收更大顧客，如帥奇錶的例子。

（3）價格下降，使銷售量由 Q1 增加到 Q2，品牌知名度也由此而建立。

成本下降與利潤上升：

（4）公司採取目標成本制，使長期平均成本（Long-run average cost curve）從 LRAC1 下降到 LRAC2。

（5）其結果是公司增加了獲利能力；且由於價格下跌，防止了競爭者的跟進。

（6）消費者剩餘（consumers' surplus）——消費者願意支付的價格與實際付出的價格，從 axb 擴大為 eyf。同理，供給者剩餘（producers' surplus），也由 abcd 擴大為 efgh。

綜合結果：

「價值創新」帶來的綜合效果為：

● 消費者需要增加，價格下降；公司成本下降，利潤上升；公司形象與產品品牌迅速建立。

● 如果再計入規模經濟效益、學習曲線的效果等因素，就更鞏固了雙贏市場動態：公司利潤增加與顧客價值增加。

- 藍海策略也就成功地在藍海上航行。
- 成功的實例：美國的沃爾瑪（Wal-Mart）、戴爾電腦。
- 提醒：任何一個策略在組織內要成功地推動，必須要經過一連串的考驗。書中第六章提出了藍海構想（blue ocean idea，BOI）指數的檢測，其包括了四個步驟：效益的檢定、價格的考驗、成本的合理、推行的困難。

　　值得注意的是，克服重大組織障礙，常需要借助「引爆點領導」（tipping point leadership）。這是指在每一個組織裡，可能會有一些人物、行為和活動，對企業績效具有扭轉乾坤的影響力。美國 GE 的傑克·威爾許、台塑的王永慶，即是此一典範。

（五）「藍海策略」的實例值得學習

　　本書的實用價值不應只限於企業，應當廣泛地推動到各個領域，以及各種不同的生活層面。因此，讓我們提倡：凡是與眾不同的、前所少見的、稀罕的、貼近顧客的、足以誘發慾望的、甚至違反「常理」的

「決定」、「行動」、「方式」、「過程」，都可以泛稱為運用「藍海策略」。這個策略就是跳出擁擠的既有市場（或範圍），努力開創一個新市場（或新天地）。讓我們列舉一些身邊的例子：

（1）《新新聞》分析馬市長，是以藍海策略非傳統方式，贏得了國民黨主席的選舉。

（2）新竹交大以提供赴國外名校進修的機會，爭取優秀新生。

（3）統一的 7-11，提供 24 小時及全年無休的服務；誠品的不打烊書店、博客來的網路書店、「康熙來了」的節目、「空中英語教室」的內容……都呈顯了「價值創新」。

（4）《遠見》2005 年 9 月號報導的宏達電（上半年股王）、三星科技（世界第一大螺帽工廠）、神達電腦、明華園歌仔戲、福特集團的馬自達、壹咖啡，這些受到顧客喜愛的產品，正是藍海策略的台灣見證。

（六）結論

愛因斯坦曾經寫過：「想像比知識更重要」。在尋找藍海策略的過程中，以想像力為起點，以書中所提

出的步驟與方法為擬訂策略的工具。反覆地思考與驗證來發現、來嚐試、來聚焦「價值創新」，其中值得再反覆強調的是何謂「價值」：

- ●能對顧客提出價格較前為低的產品。
- ●能對顧客提出新的效用與滿足。
- ●能激發出顧客新的需要。

為了要達到成本低、效用高、產品新的綜效，整個公司需全面動員，全面配合；亦即是說，一個生產過程（或一個層次、一個面向）的「創新」，不足以構成全面的「價值創新」。

因此，「創新」實際是公司整個策略的「創新」，是指生產的新產品或所提出的新服務有別於其他競爭者，使自己不必在既有產業中與其他企業纏鬥；而是開創出新的利基、新的市場區隔、新的局面。

讀完《藍海策略》一書的真正考驗，在於能否在企業或組織內，產生一股新力量，變成「價值創新」的具體行動，駛向藍海。這會是一個充滿冒險、挑戰、以及豐收的航程；因為千山獨行、商機獨創，但結果則是利益共享。

Blue Ocean Strategy

目｜錄

破除競爭邏輯／藍海商機就在你周圍／新市場的效益／變革勢在必行／從策略行動著手／價值創新超越競爭／航向藍海

■本章案例：沒有動物的馬戲團

美國葡萄酒的紅海困境／策略草圖分析價值曲線／四項行動架構／分析輔助表／優質策略的特質／解讀價值曲線

■本章案例：黃尾袋鼠跳脫品酒窠臼

Blue Ocean Strategy

前　言

　　這是一本有關友誼、忠誠和互信的著作。由於這種友誼和互信，我們對本書討論的想法展開探索之旅，最後著手寫下這些心得。

　　我們是二十年前在課堂上認識的，當時一個身為教授，另一個是學生。從那時以來，我們一直互相切磋。在過程中，我們自覺像是下水道裡的兩隻渾身濕淋淋的老鼠，狼狽不堪。這本書不是思想的勝利，而是我們覺得比任何商業構想更有意義的友誼的勝利。這種友誼使我們的生命更為充實，也使我們的世界更為美麗。我們絕不孤獨。

　　沒有任何旅程是平靜無波的，也沒有任何友誼完全充滿歡笑。但是，我們每天都對眼前的旅程充滿興奮期盼，因爲我們是在進行學習和進步之旅。我們熱切相信本書談論的想法。這些構想不是提供給那些得過且過，或只求活下去的人。我們對此毫無興趣。如果你滿足於這種生活，請就此闔上本書。但如果你想改變世界、開創企業，並打造一個未來，讓顧客、員工、股東和社會都能全贏，那麼不妨繼續看下去。要做到這點並不容易，可是值得一試。

　　我們的研究證實，所有企業都不可能永遠保持卓越，正如同沒有哪種產業能夠永遠保持傑出。在踉踉蹌蹌的旅程中，我們也發現自己就像企業一樣，有時做事很靈光，有時不太靈光。爲了改善成功的品質，我們必須研究我們有哪些作爲發揮正面效用，並了解如何有系統地加以複製。這就是我們所謂採取聰明的策略行動，而我們發現最重要的策略行動莫過於創造藍海（blue ocean）。

　　藍海策略正向企業挑戰，促其脫離血腥競爭的紅色海洋，創造無人競爭的市場空間，讓競爭本身失去意義。這種策略致力於增加需求，並擺脫競爭，不再

聚焦於瓜分不斷縮小的現有需求，也不光只想到壓制競爭對手。本書不僅向企業挑戰，也告訴企業如何施行藍海策略。我們先介紹一系列分析工具和架構，顯示如何按部就班因應這項挑戰，然後詳細解說並定義藍海策略，以及使它有別於競爭本位策略的一些原則。

我們的目的是把制定和執行藍海策略，變得有系統及可行性，就如同在已知市場空間形成的紅色海域裡從事競爭。這樣一來，企業才能用明智負責的方式，面對創造藍海的挑戰，並儘量擴大機會和縮小風險。企業不論大小新舊，都不能不顧一切的豪賭，也不應該這樣做。

本書內容是以超過十五年的研究結果做基礎，有關資料可溯自一百多年前，並參考《哈佛商業評論》的一系列文章，以及有關這個題目各種層面的其他學術論文。書中提出的想法、工具和架構，這些年來曾在歐洲、美國和亞洲的企業措施中，接受進一步考驗和改進。本書把這項研究加以闡揚擴大，用通論將這些想法歸納起來，並提供一個統一架構。這個架構不僅涵蓋創造藍海策略背後的分析層面，也包含了人性

層面——如何動員組織及其成員，自動自發執行藍海構想。在這方面，我們特別強調，應該了解如何建立信任和使命感，以及認識理性和感情認同的重要。這都是藍海策略的核心。

　　藍海策略提供的機會早已存在。一旦這些機會受到探索，市場空間也會隨之擴大，而我們相信這是成長的基礎。但是，大家對如何有系統地創造和把握藍色海洋，在理論和施行上都缺乏了解。我們請諸位細讀本書，學習如何成為擴展未來市場的推手。

誌　謝

　　這本書能夠出版，得到很多方面的協助。歐洲管理學院（INSEAD）為我們提供獨到的研究環境。INSEAD 橫跨理論和實務的作風，匯聚全球人才的教職員、學生，及高級主管培訓課程人員，對我們裨益極大。柏吉斯（Antonio Borges）、哈瓦威尼（Gabriel Hawawini）和范德海登（Ludo Van der Heyden）這幾位院長，始終支持鼓勵並提供院內協助，讓我們能夠把研究和教學工作密切結合。資誠會計師事務所（Pricewaterhouse-Coopers）和波士頓顧問集團（BCG）都對我們的研究提供財務援助；資誠的布朗（Frank

Brown）和貝爾德（Richard Baird），以及BCG的艾貝
特（René Abate）、克拉克森（John Clarkeson）、史達
克（George Stalk）和塔迪（Olivier Tardy）更是難得的
合作夥伴。

這些年來我們曾獲得許多才華洋溢的研究員協
助，過去幾年全心全意地與我們一起工作的研究人員
杭特（Jason Hunter）和米吉（Ji Mi）更需一提。如非
他們義無反顧的投入、無怨無悔的研究支持、孜孜不
倦地追求完美，本書恐怕很難完成。有這樣的幫手是
我們的福氣。

學校同事對本書討論的構想也很有貢獻。
INSEAD的教職員，特別是藍根（Subramanian Rangan）
和范德海登，協助我們檢討我們的理念，並提供珍貴
的評論和支持。INSEAD的許多教職員，曾向企業主
管和企管碩士傳授本書提出的想法和架構，並提供寶
貴的意見，使我們的理念更為明晰。其他同事也提供
智識鼓勵和友善激勵。我們無法一一致謝，可是在此
仍要感謝艾德納（Ron Adner）、巴蘇（Jean-Louis
Barsoux）、班紹（Ben Bensaou）、戴貝提尼斯（Henri-
Claude de Bettignies）、布里姆（Mike Brimm）、卡普隆

（Laurence Capron）、切卡紐利（Marco Ceccagnoli）、庫爾（Karel Cool）、戴梅爾（Arnoud De Meyer）、狄希克斯（Ingemar Dierickx）、狄亞斯（Gareth Dyas）、伊本（George Eapen）、埃文斯（Paul Evans）、葛路尼克（Charlie Galunic）、蓋渥（Annabelle Gawer）、希梅諾（Javier Gimeno）、休奧（Dominique Héau）、鍾斯（Neil Jones）、拉瑟瑞（Philippe Lasserre）、曼佐尼（Jean-François Manzoni）、梅爾（Jens Meyer）、米紹（Claude Michaud）、莫里斯（Deigan Morris）、阮輝（Quy Nguyen-Huy）、藍根、史托瑞（Jonathan Story）、單海瑟（Heinz Thanheiser）、范德海登、楊格（David Young）、贊斯基（Peter Zemsky）和曾鳴（Ming Zeng）。

我們很幸運，擁有遍布全球的實務人員和案例撰述形成的網絡。他們呈現出如何實際應用本書呈現的理念，並為我們的研究協助發展案例材料，對本書貢獻極大。在這許多人當中，有個人特別值得一提：波瓦—柯拉登（Marc Beauvois-Coladon）。他自始即與我們合作，並根據他在企業實務中具體運用我們理念的經驗，為本書第四章提供卓越貢獻。在其他許多助力

中，我們也要感謝桂亞特（Francis Gouillart）和他的
同事；傅瑞瑟（Gavin Fraser）和他的同事；莫登森
（Wayne Mortensen）；馬克斯（Brian Marks）；肯尼
斯‧劉（Kenneth Lau）；椎名（Yasushi Shiina）；藍
德瑞（Jonathan Landrey）和他的同事；江俊安（音
譯，Junan Jiang）；崇貝塔（Ralph Trombetta）和他的
同事；柏特（Gabor Burt）和他的同事；凡卡特希
（Shantaram Venkatesh）；川和（Miki Kawawa）和她
的同事；辛哈（Atul Sinha）和他的同事；伊沙克
（Arnold Izsak）和他的同事；魏斯特曼（Volker
Westermann）和他的同事；威廉森（Matt
Williamson）；愛德華茲（Caroline Edwards）和她的
同事。我們也很感激因史培曼（Mark Spelman）、阿波
希（Omar Abbosh）、塞爾斯（Jim Sayles）和他們的團
隊，而與安盛（Accenture）諮詢顧問公司形成的合
作。我們也要對朗訊科技公司（Lucent Technologies）
給予的支持道謝。

在研究過程中，我們曾造訪世界各地的企業主管
和公職人員，承蒙他們慷慨挪出時間並提供見解，對
本書構思的成形助益良多，使我們銘感五內。在許多

落實本書構想的公家計畫與民間專案中，三星電子的「價值創新計畫」、新加坡為其政府和民間部門擬定的「價值創新行動智庫」，都給予我們啓發，也讓我們學到很多心得。三星電子執行長尹鐘龍（Jong-Yong Yun）和新加坡政府常任祕書所有成員，都是難能可貴的合作夥伴。我們也由衷感謝致力施行價值創新構想的全球社區「價值創新網」（Value Innovation Network, VIN）的成員，特別是那些無法在此一一提及的人。

　　最後，我們要感謝我們的編輯瑪琳妲‧梅利諾（Melinda Merino）的明智批評和編輯回饋，也感謝哈佛商學院出版小組給予的信任和熱心支持。在此也向我們在《哈佛商業評論》現在和以前的編輯致謝，特別是謙皮恩（David Champion）、史都華（Tom Stewart）、史東（Nan Stone）和瑪格瑞塔（Joan Magretta）。對 INSEAD 的許多企管碩士和博士，以及高級主管培訓課程人員，我們也深懷感激。在測試本書構想時，「策略和價值創新研究團體」課程的參與人員更表現很大的耐心。他們具有挑戰性的問題和深思熟慮的回饋，有助於釐清並強化我們的理念。

第一部

藍海就在你身邊

BLUE OCEAN STRATEGY

當前的全球化競爭日趨白熱化，
大多數企業削價競爭，形成一片血腥紅海；
想在競爭中求勝，唯一的辦法就是不能只顧著打敗對手。

成功的企業會在紅海中擴展現有產業邊界，
創造出尚未開發的市場空間，形成無人競爭的藍海。

接下來，上百件策略個案研究，抽絲剝繭，
揭露企業邁向藍海的策略原則。

藍海策略

第 1 章

開創藍海

產業歷史顯示，
市場空間從來就不是恆常不變的；
藍海是隨著時間演進而不斷被創造出來。
近年來的策略思維，
偏重於競爭本位的紅海策略，
藍海策略指出商場的獨到特質：
創造沒有競爭對手的新市場空間的能力。

拉里貝提（Guy Laliberté）拉過手風琴、踩過高蹺，也做過吞火魔術師，現在是加拿大文化輸出勁旅「太陽馬戲團」（Cirque du Soleil）執行長。這個於1984年由街頭表演藝術工作者組成的馬戲團，已先後在全球90個城市演出，吸引了將近4000萬觀眾。成立不到20年，它的營收就達到全球馬戲團業霸主「玲玲馬戲團」（Ringling Bros. and Barnum & Bailey）經營了一百多年才有的水準。

太陽馬戲團的成長如此快速，的確令人刮目相看——其實馬戲團這一行已逐漸沒落，以傳統策略分析的說法就是成長有限的夕陽產業。明星級演員供過於求；然而買方也相當強勢；此外，都會的現場表演、體育賽事到家庭娛樂，多樣化的娛樂替代方式也帶來相當大的影響。現代兒童寧可玩PlayStation也不願去看馬戲團。凡此種種導致馬戲團的觀眾逐漸流失，營收和獲利隨之下滑。另外，動物保育團體反對馬戲團利用動物表演的聲浪日益升高；玲玲馬戲團老早為這一行奠定標竿，其他規模較小的馬戲團競爭只能依樣畫葫蘆，根本無法匹敵。因此，若以競爭策略為主軸，馬戲團這一行看來毫不足觀。

> 【想在競爭中求勝，唯一的辦法就是不要只顧著打敗對手；要在未來贏得勝利，企業必須停止競爭。】

因此，太陽馬戲團的成功，還有一點更是值得一提：它不是從日益萎縮的既有馬戲團市場爭取顧客。傳統馬戲團向來以提供兒童娛樂為目的，太陽馬戲團卻不與玲玲正面競爭；而是反其道而行，創造出無人競爭的新市場空間，讓競爭變得毫無意義。太陽馬戲團吸引的是全新的顧客群——成年人和公司團體。這些人願意花數倍於傳統馬戲團門票費用，體驗前所未有的表演娛樂。從太陽馬戲團製作的首批節目之一「我們改造了馬戲團」，可見一斑。

破除競爭邏輯

太陽馬戲團之所以成功，在於它體認到要在未來贏得勝利，企業必須停止彼此競爭。想在競爭中求勝，唯一的辦法就是不要只顧著打敗對手。

要了解太陽馬戲團的成就，不妨想像一個市場，由兩種海洋組成：紅海和藍海。紅海代表所有現存產業，也是已知的市場空間；藍海意指所有目前看不到的產業，是未知的市場空間。

在紅海，產業邊界十分明確而且為大家所認可，也有一套共通的競爭法則[1]。所有公司都致力超越競爭對手，以掌握現有需求，控制更大的市占率。然而隨著市場空間愈來愈擁擠，獲利和成長展望日益萎縮，產品淪為大宗商品，割喉競爭將紅海染成一片血腥。

相形之下，藍海是尚未開發的市場空間及新需求，有機會創造獲利型成長。雖然有些藍海遠在現有產業邊界之外，但大部分的藍海是在紅海中擴展產業邊界而創造出來，太陽馬戲團就是個實例。在藍海中，競爭毫無意義，因為遊戲規則根本還沒成形。

紅海裡的企業，必須時時刻刻超越對手，才能成功屹立。當然，紅海的地位會一直存在，也是經營上擺脫不了的事實。但是，愈來愈多的產業出現供過於求的現象，爭奪日益緊縮的市場固然必要，卻不足以使企業維持高效能[2]。企業必須超越競爭；要掌握新的獲利和成長機會，就應該創造藍海。

只可惜，藍海多屬於未知的領域。過去25年的策略研究，大部分聚焦於以競爭為主軸的紅海策略[3]，例如分析現有產業的潛在經濟結構；選擇低成本、建立差異化、聚焦的策略定位；以及盯衡競爭情勢。這些

【 大部分的藍海是在紅海中擴展現有產業邊界而創造出來；由於
藍海的遊戲規則尚未成形，因此無從競爭。 】

研究成果都有助於企業在紅海中競爭求勝。關於藍
海，雖已有部分論述[4]，但說到如何創造藍海，尚缺乏
實際指南。由於缺少分析架構以及有效管理風險的原
則，創造藍海顯得是一廂情願，以專業經理人的角度
來看，風險實在太大。因此本書提供了一套務實的架
構和分析，以便按部就班邁向並掌握藍海。

藍海商機就在你周圍

「藍海」一詞聽來陌生，實際上存在已久，而且是
過去及當前經營生態都具備的特性。你可以回顧一百
年前並問問自己，「當前的產業有多少是過去一無所
知的？」答案是：汽車、唱片、航空、石化、醫療保
健、管理諮商等許多基本產業，在當時不是聞所未
聞，就是才剛萌芽。時間拉回三十年前，現今許多總
值幾十億美元的龐大企業，早年根本毫不起眼，隨便
數數就有：共同基金、手機、天然氣發電廠、生物科
技、折扣量販、包裹快遞、休旅車、滑雪板、咖啡
吧、家庭影視。不過三十年，市場已完全改觀。

現在把時鐘撥到二十年甚至五十年後，試想屆時會出現多少今天未知的企業。如果歷史是預測未來的指標，我們斷言，這些企業絕對不在少數。

事實上，企業從來就不是靜止不動的。它們會不斷的演進，作業方式會改善，市場會擴展，參與的人來來去去。歷史顯示，我們嚴重低估了人類創造新企業和改造現有企業的能力。美國人口普查局制定的「產業標準分類」（Standard Industrial Classification，SIC），在公布施行半世紀後，1997 年已被「北美產業分類標準」（North America Industry Classification Standard，NAICS）取代。新制度把 SIC 編列的 10 個產業部門擴大為 20 個，以反映新產業領域逐漸產生的現實[5]。例如，舊制度下的服務業，現已擴張為七大產業部門，範圍涵蓋資訊、醫療保健到社會救助[6]。由於制度設計的目的在標準化和持續性，這種變化即顯示出藍海急遽擴展的程度。

然而，這些年來的策略思考卻集中在競爭本位的紅海策略，部分原因是企業策略根源於軍事戰略，而且深受影響。許多用語根本是借自軍事術語，例如企業「總部」的首席「執行長」、「前線」的「部隊」；

這種角度顯示，戰略的目的是對抗敵手，爭奪範圍有限的固定領土[7]。但產業歷史顯示，市場空間與戰爭不同，它從來就不是恆常不變的；而且，藍海是隨著時間演進而不斷被創造出來。因此，若是聚焦於紅海，等於接受戰爭蘊含的限制因素——領域有限，要贏就得先殲滅敵人。這等於否定了商場獨到的活力，也就是創造無人競爭的新市場空間的能力。

新市場的效益

我們著手研究 108 家公司的業務拓展專案，以便統計開發藍海對公司營收和獲利成長有何衝擊（見圖表 1-1）。

我們發現，有 86% 的業務推動案屬於擴大既有產品系列，就是在現有市場空間形成的紅海中逐步改善。但是，這些業務占了公司整體營收的 62%，對整體獲利貢獻卻只占 39%。剩下的 14% 的新業務旨在創造藍海，結果為公司創造了 38% 的整體營收，對整體獲利貢獻達 61%。這些新業務包括為開發紅海及藍海所

圖表 1-1

創造藍海的獲利和成長結果

業務推動	86%	14%
營收影響	62%	38%
獲利影響	39%	61%

■ 在紅海內推動的業務　　　　□ 為創造藍海推動的業務

做的整體投資（營收和獲利結果不論，並計入失敗的企畫案），開發藍海的效益顯而易見。雖然我們對紅海和藍海拓展專案的成功率缺乏統計資料，但是二者在全球表現的效益，差別極為明顯。

變革勢在必行

開發藍海之所以日益迫切，其後有諸多力量推動。科技日新月異已大幅提升產業生產力，使得供應商推出的產品和服務是五花八門，前所未有；這導致

產業愈來愈多，供過於求[8]；而全球化趨勢更是火上加油。隨著各國和各地區之間的貿易壁壘消除，加上產品和價格資訊在全球各地即時流通而且唾手可得，許多原來得以壟斷經營的利基市場和受到保護的市場不斷消失[9]。在全球競爭激化、供給持續攀升之際，卻無明確跡象顯示需求擴大，統計資料甚至指出許多已開發市場人口正在減少[10]。

結果是產品和服務加速商品化、價格戰加劇、獲利率萎縮。最近針對美國許多重要品牌的研究，證明了這個趨勢[11]。研究顯示，在主要產品和服務類別，品牌不同，但性質愈來愈類似，消費者也漸漸根據價格選購產品，不再講究特定品牌[12]。他們不像過去認定洗衣粉非汰漬（Tide）不用；現在，要是佳潔士（Crest）牙膏減價促銷，消費者不會非買高露潔（Colgate）不可，反之亦然。市場已經過度擁擠，因此不論經濟景氣或衰退，品牌特色的建立愈來愈困難。

二十世紀的企業策略和管理做法，大多根據當時的企業環境演變而來，上述情況卻顯示這樣的企業環境正逐漸消失。隨著紅海愈來愈血腥，企業管理階層必須破除積習，致力開拓藍海。

從策略行動著手

　　企業如何擺脫競爭慘烈的紅海？如何創造藍海？
要達到這個目標，有沒有一套系統性的做法，協助企
業經營維持高效能？

　　要找答案，第一步就是定義「基本分析單位」
（basic unit of analysis）。企業文獻爲了解高效能經營的
根源，通常以「公司」做爲基本分析單位。人們總對
某些公司如何利用一套明確策略、作業和組織特色，
達到獲利豐厚的強大成長，感到讚佩。但問題是：眞
有哪些公司是「傑出卓越」或「高瞻遠矚」持續不
墜，能不斷超越市場，一再開發藍海嗎？

　　以《追求卓越》（*In Search of Excellence*）和《基
業長青》（*Built to Last*）二書爲例[13]。暢銷一時的《追
求卓越》在二十年前出版，上市不到兩年，其中討論
的某些公司就已經開始走下坡，逐漸爲人淡忘，像是
雅達利（Atari）、奇滋寶旁氏（Chesebrough-Pond's）、
數據通用（Data General）、富樂（Fluor）、國家半導體
（National Semiconductor）。正如《刀口上的管理》
（*Managing on the Edge*）一書指出，《追求卓越》出書

五年內，其中列舉的模範企業有三分之二從本業的龍頭寶座栽了下來[14]。

《基業長青》也不能免俗。這本書探索經營表現始終長保領先，「高瞻遠矚型企業之成功習慣」。為避免《追求卓越》一書所犯的錯誤，《基業長青》把調查期拉長至企業成立以來的整段歷史，而且只選擇經營超過40年的企業。《基業長青》後來也變成暢銷書。

然而，經過深入檢討，《基業長青》列舉的某些高瞻遠矚型企業仍出現缺失。《創造性破壞》（*Creative Destruction*）一書指出，《基業長青》舉出的模範公司成功之道，主要歸功於整個產業的表現，而非個別公司有特出作為[15]。例如惠普（Hewlett-Packard，簡稱HP），因長期表現超越市場，達到《基業長青》訂定的標準。然而，不僅惠普的表現如此，整個電腦硬體業亦然。更重要的是，惠普連在本行都未能超越其他競爭對手。《創造性破壞》據此質疑，真有持續超越市場的「高瞻遠矚型企業」（visionary company）？而且眾人皆知，1970年代末和1980年代初呼風喚雨、被譽為「革命性」策略高手的日本企業，後來也都盛極而衰或停滯不前。

　　若是沒有公司能長期維持優異績效，而且如果同一家公司可能某段時間表現優異、過些時候卻極為失常；那麼，在探索優異績效與藍海的成因時，以公司做為分析單位顯然並不合適。

　　前面提到，歷史顯示產業會隨著時間應運而生，而且持續擴張；產業狀況和疆界也沒有明確界定；每個人都可能參與塑造。公司不必在特定產業之中硬碰硬競爭，例如太陽馬戲團就為娛樂業開闢出新的市場空間，創造出強大的獲利成長。因此，在研究獲利型成長的根本原因時，公司或企業似乎都不是最適當的分析單位。

　　我們的研究與這個觀察結果一致：研究藍海如何開發並維持優異績效的正確分析單位，應該是「策略行動」（strategic move）。策略行動包含開拓市場的重大企畫案所牽涉的一套經營措施和決策。例如，康柏電腦（Compaq）在 2001 年被惠普收購，不再是獨立經營的公司，許多人可能就此認定康柏經營不善。然而，康柏創造伺服器業務的藍海策略行動可不能就此抹煞。這策略行動不僅讓康柏在 1990 年代中期重振雄風，也為電腦業務開啓了價值億萬的全新市場空間。

【研究藍海如何開發並維持優異績效的正確分析單位，不是公司或企業，而是「策略行動」（strategic move）。】

　　附錄 A〈藍海類型簡史〉，從我們的資料庫選出三種美國代表性企業，並針對其歷史概要檢討。這三種企業分別是汽車業（上下班的工具）、電腦業（工作的左右手）、電影產業（下班後的休閒娛樂）。如附錄 A 所示，我們找不到哪家公司或企業能永遠保持傑出。但是，這些策略行動開創出藍海，導引出強大獲利成長的全新途徑；其中似乎存在某種顯著的共通性。

　　我們所討論的策略行動──產品及服務由此產生，開創並占據全新市場空間，使得需求大幅攀升──其中創造獲利型成長的故事固然引人入勝，而錯失良機沈淪紅海的故事也相當發人深省。我們依據這些策略行動進行研究，裨便了解創造藍海和達到優異績效的模式。我們的研究遍及三十多種產業，從 1880 年到 2000 年採取的一百五十多種策略行動，也深入探究涉及每一種策略行動的產業角色，包括旅館、電影、零售、航空、能源、電腦、廣播和建築、汽車和鋼鐵。我們不僅分析成功創造藍海的企業贏家，也檢討那些敗下陣來的競爭同業。

　　針對特定策略行動及縱覽各種策略行動，我們也探討，開創藍海的族群以及沈淪紅海、較不成功的族

群,各有何共同點及相異處。在這個過程中,我們試
圖發掘藍海出現的共同因素,以及這些贏家有別於那
些在紅海掙扎求生的企業和輸家的重要因素。

我們對三十多種產業進行分析,證實任何產業或
組織特性都無法解釋這兩個族群的差別。分析產業、
組織和策略變數之後,我們發現創造和掌握藍海的企
業有大有小、有新有舊、有年輕經理和資深經理、有
當紅產業和冷門產業、有民營公司和公營公司、有傳
統產業和高科技業,也有來自不同國家的公司。

我們找不到永遠卓越的公司或企業,卻發現那些
表面上看起來很獨特的成功故事,不論它們採取何種
創造和掌握藍海的策略,背後都有個共同形態一以貫
之。不論是福特公司於 1908 年推出 T 型車、通用汽車
公司於 1924 年推出迎合顧客各種心理需求的車型、有
線電視新聞網(CNN)於 1980 年推出每週七天,一天
24 小時的即時新聞服務,或是康柏、星巴克、西南航
空公司(Southwest Airlines)、太陽馬戲團,還是我們
研究所涵蓋的其他藍海行動,不論屬於何種產業,任
何時期用以創造藍海的策略都有一套的共同做法。另
外,我們的研究也觸及一些成功改革公家機關的著名

> 「價值創新」（value innovation）是聚焦於為顧客和公司創造價值躍進，進而開啓無人競爭的市場空間，正是藍海策略的基石。

策略行動，在其中也發現明顯的類似模式。

價值創新，超越競爭

創造藍海的成敗，完全取決於擬定策略的方式。陷於紅海的公司只會延續傳統做法，亟於在現有的企業領域建立自保的地位[16]。藍海的創造者卻不把競爭當做標竿[17]，相反的，他們遵循不同的策略理念，追求我們所謂的「價值創新」（value innovation），也就是藍海策略的基石。之所以稱為「價值創新」，是因為這種策略不汲汲於打敗競爭對手，反而致力於為顧客和公司創造價值躍進，進而開啓無人競爭的市場空間。

在價值創新裡，「價值」和「創新」同等重要。沒有創新的價值，容易專注於漸進式的「價值創造」（value creation），即使價值改善，仍不足以在市場脫穎而出[18]；一般由科技推動、屬於未來市場先驅，若是少了價值創新，往往超過顧客所能接受的程度，無法吸引人掏錢購買[19]。因此，價值創新必須有別於科技創新和市場先驅。我們的研究顯示，創造藍海的成敗

27

關鍵並非尖端科技，也不是「進入市場的時機」；這些因素有時確實存在，不過大多數並非如此。只有創新與實用、售價和成本配合得恰到好處，才能達到價值創新。如果不能將創新與價值緊密結合，科技創新者和市場先驅常常會變成為人作嫁，白白便宜他人。

價值創新是嶄新的策略思考與執行模式，能創造藍海並且脫離競爭。重要的是，價值創新可以不理會以競爭為本位的策略中，最通行的教條：「價值／成本抵換」（the value-cost trade-off）[20]。傳統思維認為，公司可以用較高的成本，為顧客創造更大的價值；或用較低的成本，創造合理的價值。這種策略，造成差異化或低成本之間只能擇一而行[21]。相形之下，企圖創造藍海的人，是同時追求差異化和低成本。

案例：沒有動物的馬戲團

回到太陽馬戲團這個例子。它創造的娛樂經驗，根本核心就是同時追求差異化和低成本。太陽馬戲團創辦之初，其他馬戲團只顧互別苗頭，微幅調整傳統表演，試圖在日益縮小的市場擴大占有率，包括爭取最出名的小丑和馴獸師，導致開支增加，卻未能實質

改變人們對馬戲團的觀感。結果經營成本提高，營收卻未增加，消費者對馬戲團的整體需求江河日下。

太陽馬戲團竟然能讓這些困境都變得毫無意義；它既不是一般馬戲團，也不是傳統劇團，根本不在乎競爭規則。馬戲團面對的問題，就是必須創造更加刺激有趣的馬戲表演及噱頭；設法找出更高明的招數來壓倒競爭對手，就成了這一行的傳統思維。然而太陽馬戲團另闢蹊徑，它讓顧客同時體驗到馬戲表演的刺激娛樂，加上劇場表演的豐富藝術及心靈饗宴。因此，馬戲團這一行遭遇的困境被重新界定[22]。藉由打破劇場和馬戲團的市場邊界，太陽馬戲團不僅獲得馬戲團觀眾的認同，也被原來不看馬戲團的人所接受；而新顧客群就是欣賞劇場表演的成年人。

這種態度導出全新的經營概念，打破「價值／成本抵換」，創造出新市場空間形成的藍海。不妨想想箇中差異，其他馬戲團只顧提供動物表演、招攬明星演員、劃出三個場子同時表演不同節目讓觀眾看得眼花撩亂、努力對觀眾兜售零食和紀念品增加收入；太陽馬戲團卻全盤推翻。傳統馬戲團始終將這些做法視為理所當然，從不質疑其合理性。但是，社會大眾對役

使動物表演愈來愈反感；而且動物表演已成為馬戲團
的最大開銷，購買和飼養動物要花錢，還得負擔訓
練、醫療照顧、圈養、保險和運輸費用。

　　同樣的，馬戲團業拚命吹捧自己的明星演員，但
在大眾心裡，與電影明星相比，馬戲班子的明星實在
不夠看。雇用大牌明星的成本不小，對觀眾的號召力
卻非常有限。另外，同時設立三個場子，分別上演不
同節目的做法也早已落伍，只是讓觀眾眼睛轉來轉
去，不知道應該看哪裡才好，結果徒增表演人數，成
本也相對提高。而在觀眾席賣東西，看起來是增加收
入的好法子，可是價格貴得令人不敢領教，顧客即使
勉強掏腰包也覺得當了冤大頭。

　　傳統馬戲團歷久不衰的魅力，只剩下三個重要成
分：帳篷、小丑、傳統雜耍表演。因此，太陽馬戲團
保留小丑，但是把他們的演出方式從胡鬧耍寶，變得
更細膩和引人入勝。在許多馬戲團開始放棄帳篷，寧
可租借演出場地之時，它卻採用更精美華麗的帳篷。
太陽馬戲團深知帳篷的獨特風格早已成為馬戲團魅力
象徵，因此它精心設計這個傳統馬戲團標幟，外表鮮
艷奪目，裡面布置得舒適宜人，看不到以前的木屑和

【企圖創造藍海的人，是同時追求差異化和低成本；這種觀念能
打破「價值／成本」抵換原則，開拓出新市場空間。】

硬板凳，令人不禁回想起過去光輝的大馬戲團時代。
雜耍和其他驚險刺激表演也保留了下來，但分量減
少，增加藝術氣息和知性品味，更顯典雅。

太陽馬戲團進一步超越市場界限，向劇場表演求
取靈感，引進馬戲表演以外的新元素，例如為節目編
排出一套故事，以豐富知性、藝術性高的音樂和舞
蹈，還有準備好幾套節目。這些馬戲團業的空前創
舉，都是借自另一種現場娛樂表演業：劇場。

傳統馬戲團提供的是一連串彼此毫無關聯的節
目，太陽馬戲團製作的每一套節目都有主題和故事，
有點類似劇場表演。雖然這些主題故意弄得含含糊
糊，卻使節目兼具知性與和諧一致，也不會限制了表
演的效果。太陽馬戲團也向百老匯舞台取經，如製作
好幾套節目，而不靠一套節目走天下。和百老匯演出
一樣，它每一場表演都有原創音樂和各種配樂，利用
音樂推動視覺表演、燈光和動作，而非反其道而行。
這些節目也借用劇場和芭蕾舞的特色，充滿抽象活潑
的舞蹈。藉由引進這些新成分，太陽馬戲團終於創造
出更精緻的表演。

此外，製作好幾套節目輪流演出，也讓觀眾願意

再度光臨，大幅提高了太陽馬戲團的市場需求。

簡言之，太陽馬戲團同時提供馬戲表演和劇場精華，消去或減少了其他元素。它提供了前所未有的觀賞效益，開創出藍海，以及現場表演的全新形式，與傳統馬戲團和劇場大異其趣。此外，太陽馬戲團消去了許多花費最高的馬戲元素，大幅降低成本結構，同時達到差異化和低成本的目標。依據劇場票價對門票進行策略定價，將馬戲團業的票價拉抬數倍，卻仍能吸引習慣了劇場票價的大批成人觀眾。圖表 1-2 呈現差異化—低成本的動能，成了價值創新的基礎。

如圖表 1-2 所示，開發藍海是為了降低成本，並為顧客提高產品價值，這是同時為公司和顧客創造價值躍進（leap of value）的方法。由於顧客得到的價值，來自公司提供的產品效益和售價；而公司得到的價值，來自產品價格及成本結構。因此，只有在產品的效益、售價和成本活動形成的整個體系適當搭配下，才能達到價值創新。這種兼顧整體系統的方式，使得創造藍海的策略可長可久，換句話說，藍海策略統合了企業的一切功能性和執行面的活動。

相形之下，產品創新之類的創新活動，在次級系

價值創新：藍海策略基石

當公司的行動對本身成本結構，以及公司對顧客提供的價值，都發揮有利影響時，才能創造出價值創新。撙節成本是藉著消除和減少一個行業藉以競爭的因素來達成。提高顧客獲得的價值，則藉著提升和創造這一行以前沒有提供的因素來達成。長期下來，隨著更卓越的價值導致銷售量提高，使規模經濟因素發揮效用，成本會更加降低。

同時追求差異化和低成本

統的層級就可以辦到，不會影響公司的整體策略。例如，生產程序的革新或能降低公司的成本結構，強化既定的成本領導策略，卻不能改變產品效益定位。雖然這種創新可能有助於穩固甚至提升公司在現有市場空間的地位，但這種次級系統方式鮮少開發出藍海，也就是創造新市場空間。

因此，價值創新不只是「創新」，而是攸關涵蓋公

司整體作業的策略[23]。要達到價值創新，公司整個作業體系必須定位爲達到顧客和公司雙方的價值「躍進」，不這樣做，創新仍將與策略核心脫節[24]。圖表1-3劃分出紅海和藍海策略的重要特質。

　　競爭本位的紅海策略，認定產業的結構狀態是固定的，企業被迫在結構中競爭。這種想法源自學術界所謂的「結構主義」觀點（structuralist view），或「環境決定論」（environmental determinism）[25]。相反的，價值創新是奠基於，市場邊界和企業結構屬於未知，可以經由企業的行爲和信念獲得重建，我們稱之爲「重建主義觀點」（reconstructionist view）。在紅海，從事差異化所費不貲，因爲所有公司都秉持相同的「最佳實務」（best-practice）法則從事競爭。在這種情況下，公司的策略選擇只剩下追求差異化或降低成本。但是，在重建主義世界，策略的目標是打破現有的「價值／成本抵換」模式，創造新的最佳實務法則，因而開創出藍海。（相關討論，請見附錄 B〈價值創新：策略的重建主義觀點〉。）

　　太陽馬戲團打破馬戲團業的最佳實務慣例，重建現有產業邊界的元素，一舉做到差異化和低成本。經

> 要達到價值創新，公司整個作業體系必須定位為達到顧客和公司雙方的價值「躍進」，否則創新仍將與策略核心脫節。

過消去、減少、拉抬、創造的步驟，太陽馬戲團到底算是「馬戲團」還是「劇團」？如果它是劇團，該歸類成哪一種劇團？百老匯舞台劇、歌劇，還是芭蕾舞劇？這點實在很難界定。太陽馬戲團重建了這些不同演出方式的元素，最後兼容並蓄了每一種表演形式的某些特質，又沒有全盤採納其中任一種表演。它創造出的藍海是全新、沒有競爭對手的市場空間，目前很難為這個產業找到一個名稱。

圖表 1-3

紅海與藍海策略的對比

紅海策略	藍海策略
在現有市場空間競爭	創造沒有競爭的市場空間
打敗競爭	把競爭變得毫無意義
利用現有需求	創造和掌握新的需求
採取價值與成本抵換	打破價值─成本抵換
整個公司的活動系統，配合它對差異化或低成本選擇的策略	整個公司的活動系統，配合同時追求差異化和低成本

航向藍海

當前的經濟狀況顯示，建立藍海勢在必行，但一
般咸信公司一旦逾越現有產業空間，成功的可能性就
會降低[26]。這議題關乎如何在藍海成功。公司在擬定
和執行藍海策略時，要怎樣才能有系統的盡可能擴大
機會，同時減少風險？創造和掌握藍海，是由儘量擴
大機會和縮小風險的原則推動的，對此缺乏了解，藍
海計畫將更為窒礙難行。

當然，任何策略都不可能毫無風險[27]。機會和風
險永遠相隨，不論是紅海策略或藍海策略都一樣。但
是，目前企業環境失衡，求勝工具和分析架構大幅向
紅海傾斜。這種情況一日不改，紅海勢必繼續控制公
司策略計畫，縱使創造藍海日益迫切也是枉然。有識
之士一再敦促業者努力超越現有企業空間，卻未受重
視，原因可能就在此。本書試圖提出一套辦法，支持
我們的理論，並破除這種失衡。在此（第一章），我們
提出藍海的成功原則和分析架構。

第二章介紹對於創造和掌握藍海至為重要的分析
工具和架構。這些基本分析工具和架構將應用於全

書，我們也會視情況需要，介紹其他輔助工具。創造藍海的分析工具和架構，與機會和風險息息相關，企業一旦有計畫的使用，將對其本身或市場根本結構造成積極性改變。後幾章將介紹一些原則，以成功擬定和執行藍海策略，並說明如何實際應用這些原則和前面所提的分析工具。

第三章到第六章將依序討論，成功擬定藍海策略的四項指導原則。第三章教你如何跨越不同企業領域，有系統的創造沒有競爭對手的市場空間，以便減少「搜尋風險」（search risk）。它教你如何跨越六個傳統競爭領域，將競爭拋諸腦後，開啓充滿商機的藍海。這六種途徑的重點在探討各種替代產業、策略群組、顧客群、輔助產品和服務、特定企業的功能和感情定位，甚至跨越時間，探討整個產業的長期趨勢。

第四章說明如何設計策略計畫程序，超越漸進式改良，創造價值創新。現有策略計畫程序經常被批評爲數字遊戲，導致公司陷入漸進式改良的窠臼。新程序則另闢蹊徑，專門對付「計畫風險」（planning risk）。本章條理分明，讓你聚焦願景，而非計較數字與似是而非的論調，同時提出四個步驟的計畫程序，

協助你制定出能創造並掌握藍海的策略。

　　第五章說明如何擴大藍海。傳統做法為迎合現有顧客的喜好，企圖把市場區隔劃分成更小的單位，反而形成愈來愈小的特定目標市場。為了創造最大的新市場需求，本章挑戰這種做法，教你如何統合需求，不要專注於顧客的差異性，而應在非顧客之間盡量找出強大的共同點，擴大正在創造的藍海和正受到掌握的新需求，也把「規模風險」（scale risk）減到最小。

　　第六章提出一套策略設計，讓你不僅可以為廣大顧客提供價值躍進，也能夠建立一種切實可行、可以帶來和維持獲利型成長的經營模式。它著力於「經營模式風險」（business model risk），教你如何建立一套創造藍海並從中賺錢的經營模式：根據效益、價格、成本和推行，按部就班擬定策略，在創造新業務領域之際，確保公司和顧客雙贏。

　　第七和第八章討論有效執行藍海策略的原則。第七章介紹所謂的「引爆點領導」（tipping point leader-ship），顯示經理人如何動員組織，克服妨礙藍海策略施行的重要組織障礙。這關乎「組織風險」（organiza-tional risk）。本章說明，儘管執行藍海策略的時間和資

【 儘管執行藍海策略的時間和資源有限，只要領導人和經理人開
誠布公，都能夠克服認知、資源、動機和政治方面的障礙。 】

源有限，只要領導人和經理人開誠布公，都能夠克服
認知、資源、動機和政治方面的障礙。

　　第八章強調把執行作業納入制定策略的程序之必
要，以鼓勵員工身體力行，在組織內部持續執行藍海
策略。它介紹我們所謂的「公平程序」（fair process）。
由於藍海策略必然悖離現狀，本章針對與員工態度和
作為的「管理風險」（management risk），說明公平程
序如何激勵員工，讓他們表現出執行藍海策略必要的
志願合作，促進策略的制定和執行。

　　圖表 1-4 顯示成功擬定和執行藍海策略的六個原
則，以及這些原則針對的風險。

　　第九章討論藍海策略的強大力量，也正是它的持
久性和更新。

　　現在，就來看第二章。我們將提出基本的分析工
具和架構，在全書討論藍海策略的擬定和執行的過程
中，這些工具和架構也都會派上用場。

圖表 1-4

藍海策略的六個原則

擬定原則   **每一原則可以減少的風險因素**
重建市場邊界   ↓ 搜尋風險
聚焦願景而非數字   ↓ 計畫風險
超越現有需求   ↓ 規模風險
策略次序要正確   ↓ 經營模式風險

執行原則   **每一原則可以減少的風險因素**
克服重大組織障礙   ↓ 組織風險
把執行納入策略   ↓ 管理風險

第 2 章

分析工具與架構

差異化及低成本絕對可以同時達成。
本章提出策略草圖及
四項行動架構（four actions framework），
經營模式必須接受這些分析工具的檢驗，
才能創造新的價值曲線。

　　過去十年，我們一直在發展一套分析工具與架
構，希望擬定和執行藍海策略變得有系統並且可行，
如同在已知市場空間形成的紅海中從事競爭。分析工
具可以填補策略領域的空缺，雖然現有策略領域已爲
紅海競爭發展出一系列強大的工具與架構，例如分析
現有企業環境的五力（five forces），以及三個一般性策
略（three generic strategies），但是對於在藍海致勝所需
的實際工具，卻未著墨。企業主管只聽到要他們積極
進取、從失敗中學習、尋求革命性創新的呼籲。這些
論調雖具啓發性，卻無法取代在藍海成功航行所需的
分析方法。沒有分析方法，企業主管不可能響應號
召，突破現有競爭。切實有效的藍海策略，應是達到
風險極小化，而不是讓人涉險。

　　爲了消除這種失衡現象，我們研究了世界各地的
企業，並爲追求藍海發展出實用的方法論。接著我們
與一些追求藍海市場的公司合作，把這些工具與架構
拿來實際應用、進行檢驗，並在過程中加以增益改
進。我們在後面討論有關擬定和執行藍海策略的六大
原則時，這裡提出的工具與架構將適用於全書。在此
先簡單介紹這些工具與架構，並以美國葡萄酒業爲

例，顯示這些工具如何應用並創造藍海。

美國葡萄酒的紅海困境

　　美國葡萄酒消耗量占全球第三位，可是這個年營業額 200 億美元的產業，競爭極為激烈。加州葡萄酒是美國國內市場霸主，占美國葡萄酒銷售量的三分之二。這些產品與來自法國、義大利及西班牙的進口貨正面競爭，還有智利、澳洲和阿根廷等新世界生產的葡萄酒；這些進口酒已積極瞄準美國市場。加上俄勒岡州、華盛頓州、紐約州生產的葡萄酒日增，加州一些新葡萄園也臻於成熟開始量產，使美國葡萄酒市場的供應呈現爆炸性成長。然而，美國的消費基礎根本上還是維持原狀，個人葡萄酒平均消耗量，排名仍在全球第 31 位。

　　這種激烈競爭在釀酒業引發合併風潮。業者中的前八強控制了美國 75% 以上的市場，剩下 25% 的市場，據估計由其餘 1600 家釀酒廠瓜分。少數大廠把持市場，強迫配銷商讓出貨架空間，並砸下數百萬美元

的預算在媒體上打廣告。美國各地的零售商和配銷商同時也開始合併，使它們對過多的釀酒廠擁有更大的談判力量。零售與配銷空間出現激烈爭奪戰。在這種情況下，經營不善的釀酒廠紛紛關門實在不足爲奇。葡萄酒的價格受到沉重壓力，難以提高。

簡言之，美國葡萄酒業面臨激烈競爭、日益增加的價格壓力、來自零售和配銷管道愈來愈強大的談判力量。根據傳統策略思維，這個產業實在不吸引人。對策略專家來說，最重要的問題在於如何掙脫這種競爭慘烈的紅海，讓競爭變得失去意義？如何開發並掌握沒有競爭對手的市場空間所形成的藍海？

要解答這些問題，必須探討價值創新與開創藍海的基本分析架構──策略草圖（strategy canvas）。

策略草圖分析價值曲線

對於建立強大的藍海策略而言，策略草圖提供了診斷及行動架構。首先，它掌握已知市場空間的競爭態勢，讓你了解當前市場的競爭重點，業者目前在產

品、服務與供應方面的競爭因素，以及顧客從市場的
現有競爭中得到什麼。圖表 2-1 呈現這些資料。橫軸列
舉業者據以從事競爭與投資的因素。以美國葡萄酒業
為例，目前存在七個主要因素：

● 每瓶酒的售價。
● 以包裝投射出精英、文雅的形象。包括在酒標

圖表 2-1

1990 年代末美國葡萄酒業的策略草圖

分析工具與架構

印出曾經贏得的獎項,使用深奧的釀酒術語強
化釀酒的藝術和專業。

● 大規模媒體廣宣活動。市場上品牌眾多,為加
深顧客印象,並鼓勵配銷商與零售商著力於推
廣自家酒廠的產品。

● 酒的陳釀品質。

● 酒莊的聲望和歷史傳承(是以要強調莊園與城
堡的稱號以及產業歷史)。

● 品酒時感受的味覺層次與深度。包括丹寧酸或
橡木桶香味。

● 兼顧各種葡萄品種以及顧客喜好的各式葡萄
酒,從夏朵內(Chardonnay)到梅洛(Merlot)
等等。

這些因素被視為銷售葡萄酒的關鍵,讓葡萄酒變
成適合品酒專家以及特別場合的獨特飲料。

這是從市場觀點看到的美國葡萄酒業的潛在結
構。現在,讓我們來看策略草圖的縱軸。這裡列舉的
是,顧客從這些關鍵競爭因素可以得到多少利益。分
數愈高,表示公司向顧客提供的利益愈多,因此在這

> 價值曲線是策略草圖的基本元素，也是用圖形描繪一家公司在該行業中各種競爭因素的相對表現。

個因素投資也愈大。在價格方面，分數愈高，顯示價格愈貴。我們現在可以描繪出葡萄酒業目前提供這些因素的狀況，以了解葡萄酒業的策略組合（strategy profile），或價值曲線（value curve）。價值曲線是策略草圖的基本元素，也是用圖形描繪一家公司在該行業中各種競爭因素的相對表現。

　　圖表 2-1 顯示，美國葡萄酒業雖有超過 1600 家酒莊，可是從顧客的觀點來看，它們的價值曲線極為類似。儘管競爭者眾多，然而我們發現，要是畫出頂級酒的策略草圖，從市場觀點來看它們的策略組合，基本上是雷同的。這些酒的定價高，在所有關鍵競爭因素上都做到高水準以便滿足顧客。它們的策略組合遵循傳統差異化策略。但從市場觀點來看，它們的差異性完全一樣。

　　另一方面，平價酒也擁有相同的基本策略組合，除了價格低廉，它們在所有關鍵競爭因素上的滿足程度維持低水平，是典型的平價廠商。此外，高級葡萄酒與低價葡萄酒的價值曲線基本上形狀相似。這兩個策略群組，策略步調完全一致，只是兩者提供的滿足程度高下有別。

　　面對這種產業情況，要讓一家公司達到獲利型成長，不可能光是見賢思齊，從競爭對手身上學習，並進一步以較低的成本、提供較高的價值來壓倒對手。這種策略可能讓銷售量稍微提高，可是很難開啓無人競爭的市場空間。進行大規模顧客研究，也不是創造藍海之道。我們的研究發現，顧客很難想像如何創造沒有競爭的市場空間；他們的邏輯通常傾向於「俗擱大碗」，而所謂的「大碗」，往往侷限於企業現已提供的產品和服務特色。

　　要從根本扭轉企業的策略草圖，必須重新定位你的策略焦點，一方面從「競爭對手」轉移到「另類選擇」，另一方面要從產業的既有「顧客」轉移到「非顧客」[2]。爲了同時追求價值與成本，應該推翻舊式邏輯，不要在差異化與成本領導策略之間取捨，並與現有領域的競爭對手進行拉鋸戰。一旦把策略焦點從當前的競爭，轉移到另類選擇與非顧客，你會對如何重新定義產業問題的聚焦有了全新認識，並藉此重建產業邊界內的買方價值基礎。相形之下，傳統策略邏輯只是促使你對產業特有的現存問題，提出比競爭對手更好的解決方案。

在美國葡萄酒業的案例中，傳統思維使得釀酒廠把焦點過度集中在品牌盛名及酒的品質，並反映在定價上。這種過度承諾（overdelivery），把葡萄酒複雜化了——大家都得依據釀酒廠的賞味標準來品酒，而葡萄酒展的評審制度更強化了這個品酒原則。釀酒業者、酒展評審與品酒行家都認為，孕育葡萄的土質、季節，以及釀酒廠對丹寧酸、橡木桶和年份熟成等技巧的講究，都構成了葡萄酒個性與特質的層次，這種複雜奧妙代表了酒的品質。

但是，澳洲的卡塞拉酒廠（Casella Wines）卻探究另類選擇，將葡萄酒業面對的課題重新定義：如何釀造出讓每個人都容易上口，而又有趣的非傳統葡萄酒？這個想法從何而來？放眼啤酒、烈酒和即飲雞尾酒等另類選擇的需求市場時，卡塞拉酒廠發現，這些產品在美國酒類消費的銷售量是葡萄酒的三倍。它也發現許多美國成年人對葡萄酒不感興趣，覺得葡萄酒太過做作，讓人望而生畏，而且品酒過於深奧難懂，雖然這正是葡萄酒業者的競爭重點，但對一般人來說，品酒成了一樁挑戰。卡塞拉洞悉問題所在，開始探索如何重新擬定美國葡萄酒業的策略組合，以創造

藍海。爲達到目標,就要採取第二個基本分析工具:
四項行動架構(four actions framework)。

四項行動架構

爲了重建買方價值基礎並塑造新的價值曲線,我
們發展出四項行動架構(four actions framework)。如
圖2-2所顯示,要破除差異化與低成本的抵換關係,創
造新的價值曲線,產業的策略邏輯與經營模式必須接
受下面四個關鍵問題的挑戰:

- 產業內習以爲常的因素,有哪些應予消除
  (eliminate)?
- 哪些因素應降低(reduce)到遠低於產業標準?
- 哪些因素應提升(raise)到遠超過產業標準?
- 哪些未提供的因素,應該被創造(create)出
  來?

第一個問題促使你思索,產業內哪些競爭因素應

該消去。這些存在已久的因素往往被視為理所當然，但實際上它們的價值日漸流失，甚至反過來減損現有價值。有時買方價值的基礎已經改變，可是企業只顧彼此較勁，未能因應這種變化，甚至毫無所覺。

第二個問題迫使你正視產品及服務是否設計過度，只為超越並擊敗競爭對手；企業若是對顧客過度周到，往往使成本結構增加，卻得不到任何好處。

第三個問題是要找出產業是否有哪些盲點是顧客

圖表 2-2

四項行動架構

必須將就的，你必須想辦法解決。

第四個問題協助你開發出買方價值的全新基礎、創造新的需求，並改變產業的策略定價。

前兩個問題（消除與降低）讓你體認到該如何改變成本結構，才不會受到競爭纏鬥的影響。我們的研究發現，對於產業競爭因素的投資，少有經理人能有系統的著手消除並降低；結果使得成本結構增加，經營模式更形複雜。另一方面，後面兩個問題有助於思考如何提昇買方價值及創造新需求。四者相輔相成，可以按部就班探討發掘下面議題：如何重建買方價值並跨足另類產業，提供顧客全新體驗；然而成本結構要保持低廉。消除與創造這兩個行動尤其重要，因為它們促使企業去超越當前競爭標準所設定的價值極大化。消除和創造能激勵企業改變這些因素，使得現有的競爭規則失去著力點。

將這四項行動架構放上產業的策略草圖，能讓你重新看待習以為常的現實，並獲得全新的領悟。

案例：黃尾袋鼠跳脫品酒窠臼

美國葡萄酒業的案例中，卡塞拉酒廠摒棄產業舊

思維，根據這四項行動探究「另類選擇」和「非顧客」，推出策略組合與競爭對手截然不同的「黃尾袋鼠」（〔yellow tail〕）葡萄酒，創造出藍海。卡塞拉酒廠不將黃尾袋鼠設定成葡萄酒，而是塑造成人人皆宜的社交飲料，不論是愛喝啤酒、雞尾酒，還是其他不喝葡萄酒飲料的人，都能接受黃尾袋鼠。

推出才兩年，黃尾袋鼠這種有趣的社交飲料異軍突起，成為澳洲與美國葡萄酒業史上成長最快的品牌，也是美國進口葡萄酒中數量第一的品牌，超過法國和義大利的葡萄酒。2003 年 8 月，它躍居為美國 750 毫升瓶裝紅葡萄酒的銷售冠軍，連加州的品牌都望塵莫及。黃尾袋鼠的年平均銷售量節節攀升，到了 2003 年中，達到 450 萬箱。在全球葡萄酒供應過剩之際，黃尾袋鼠卻供不應求。

更重要的是，大酒廠經常花幾十年投資於行銷，才發展出強勢品牌，黃尾袋鼠沒有做推銷活動，不靠大眾傳播，也沒有向顧客打廣告，卻一舉超越那些勢力強大的競爭對手。它不僅搶走競爭酒廠的生意，也擴大了市場。黃尾袋鼠把原來不喝葡萄酒的人，包括那些只喝啤酒與即飲雞尾酒的顧客，引入葡萄酒市

場。剛開始喝佐餐酒的人，會更常選擇喝葡萄酒；喝
瓶裝葡萄酒的人，開始提高酒的等級；喝高級葡萄酒
的人則自動降級，改喝黃尾袋鼠。

　　圖表 2-3 顯示，這四項行動顯然讓黃尾袋鼠擺脫美
國葡萄酒業的競爭。我們用圖形來比較黃尾袋鼠的藍
海策略，與美國市場上彼此競爭的一千六百多家酒廠
有何不同。正如圖 2-3 所顯示，黃尾袋鼠的價值曲線異

圖表 2-3

黃尾袋鼠的策略草圖

軍突起。卡塞拉酒廠利用四項行動（消除、降低、提升、創造）開發出無人競爭的市場空間，短短兩年內，就使美國的葡萄酒業風貌丕變。

藉著探索啤酒和即飲雞尾酒的另類選擇，從非顧客的觀點出發，卡塞拉酒廠在美國葡萄酒業創造出三個新的因素：容易入口、容易選擇、有趣並具冒險意涵；同時也消除或降低了所有其他因素。卡塞拉酒廠發現，大多數美國人覺得品嚐葡萄酒這件事過於深奧，很難入門，所以拒喝。相形之下，啤酒和即飲雞尾酒比較甜，也比較容易下口。因此，黃尾袋鼠創造出較簡單的葡萄酒結構，葡萄酒的特質有了全新風貌，立刻受到眾多酒客喜愛。黃尾袋鼠葡萄酒像即飲雞尾酒和啤酒一樣，柔和順口，一入喉就可以感受明顯的果香。它的水果甜味有助於保持清新味覺，讓人自然而然一杯接著一杯。因此這種酒很容易喝，不必花上幾年功夫培養鑑賞力。

除了簡單清甜的果香，黃尾袋鼠葡萄酒也大舉降低或消除葡萄酒業長期以來的競爭因素，包括丹寧酸、橡木桶、味覺層次及熟成年份等等。不論高級葡萄酒還是平價葡萄酒，這些條件都是長久以來的生產

藍海策略

標準。由於消除了需要熟成的因素，卡塞拉酒廠投入
熟成作業的成本隨之減少，使產品可以更快回收。葡
萄酒業批評黃尾袋鼠的甜味果香，不只讓葡萄酒品質
大打折扣，也掩蓋了對優質葡萄和傳統釀酒技術的鑑
賞。這些批評或許不無道理，可是各類顧客都愛上了
黃尾袋鼠葡萄酒。

美國的葡萄酒零售商提供顧客的產品種類多不勝
數，可是對於一般顧客來說，這些選擇多得讓他們眼
花撩亂，甚至望而生畏。這些產品外表看起來大同小
異，標籤又複雜，充滿了行家才懂的釀酒術語。由於
葡萄酒種類太多，連店員都搞不清楚，無法對一臉茫
然的顧客提供建議。成排成架的葡萄酒，形形色色，
把想要買酒的人弄得頭昏腦脹，不知從何下手，有人
乾脆放棄不買，一般買酒的人也不確定自己的選擇正
確與否。

黃尾袋鼠讓選酒更簡單，使一切改觀了。產品種
類大幅減少，只提供兩種葡萄酒：美國最流行的夏多
娜白酒，以及喜若（Shiraz）紅酒。酒瓶上的釀酒術語
全都被刪除，且突破傳統，採用顯眼而又簡單的標籤
——漆黑的背景，襯著一隻鮮艷明亮的橘黃袋鼠。裝

酒的紙箱也採用同樣的搶眼色彩，上面印著大大的〔yellow tail〕字樣，成為搶眼又平易近人的展示商標。

卡塞拉酒廠贈送零售商店員工澳洲內陸的牧場工作服，包括布須曼帽子和防水夾克，讓他們穿載，變成「黃尾袋鼠」大使，這招發揮出奇的功效。這些員工身穿有商品品牌的服飾，加上葡萄酒本身平易近人，他們很自然就會對顧客推銷黃尾袋鼠。事實上，向顧客推薦黃尾袋鼠成了一件趣事。

卡塞拉一開始只提供兩種產品，一種紅酒和一種白酒，因此整個經營模式非常精簡。讓現貨品項極小化，存貨周轉率極大化，對倉庫存貨的投資也減省到極小的地步。減少產品種類的策略，也應用於紙箱裡的酒瓶。黃尾袋鼠打破同業規範，用同樣形狀的酒瓶來裝紅酒和白酒。卡塞拉是第一家這樣做的酒廠，使得製造和採購程序更為簡化，也讓葡萄酒的外觀非常簡潔、搶眼。

世界各地的葡萄酒業都致力宣揚葡萄酒的悠久歷史和精緻傳統，並引以為傲。反映在美國目標市場的成效，就是那些受高等教育的高所得專業人士。因此，業者繼續強調葡萄園的品質和傳承、城堡或莊園

的歷史傳統，以及曾經贏得的葡萄酒大獎。事實上，美國葡萄酒大廠的成長策略全針對市場的高階層，並投資幾千萬美元從事品牌宣傳，強化這種形象。

然而，藉著探究喝啤酒和即飲雞尾酒的顧客，黃尾袋鼠葡萄酒發現這種精英形象並不能引起一般大眾的共鳴，甚至讓他們裹足不前。因此，黃尾袋鼠打破傳統，創造出體現澳洲文化特色的個性：大膽、悠閒、有趣、冒險。「平易近人」是這個品牌的最高原則，這也是「澳洲大地的本質」。它完全不講究傳統酒莊的形象：品牌名稱採用小寫字體，並搭配鮮艷色彩和袋鼠主題，都呼應澳洲本色；而且事實上，酒瓶上根本沒有提到酒莊。這產品保證讓歡樂氣氛從酒杯裡蹦出來，就像澳洲袋鼠一樣。

結果，黃尾袋鼠吸引了各種層面時的酒客。藉著提供顧客更多價值，這種價值躍進使黃尾袋鼠的價格得以提高到超過平價酒市場的水準，每瓶售價 6.99 美元，比大瓶裝葡萄酒的價格高出一倍以上。 2001 年 7 月黃尾袋鼠問市，銷路即刻突飛猛進。

分析輔助表

　　創造藍海的第三種關鍵工具，也是前面四項行動架構的分析輔助，稱為「消去—降低—提升—創造」表（eliminate-reduce-raise-create grid，請參考圖2-4）。

　　這個表不僅幫助企業探究四項行動架構提出的四個問題，也促使企業對這四者採取行動，以創造新的價值曲線。企業在表格上填入消除、降低、提升和創造等行動，可以收到下列效果：

　　●促使企業同時追求差異化和低成本，破除了價

圖表2-4

消除—減少—提升—創造表格：黃尾袋鼠案例

消除 釀酒術語和各種區別 熟化品質 高級行銷	提升 與平價酒的價差 加強零售商店參與
減少 葡萄酒的複雜深奧 葡萄酒種類 葡萄園地位	創造 容易飲用 容易選擇 樂趣和冒險

值成本抵換的常規。

● 及時提醒企業，不要光是專注於提升和創造，
導致成本結構加重、產品及服務設計過度，使
得經營陷入困境。

● 所有層級的經理人都能一目了然，因此實際施
行時，能獲得積極參與。

● 完成本表極富挑戰性，促使業者主動檢討每個
競爭因素，以便了解在競爭過程中，企業不知
不覺中形成哪些自以為是的假設。

圖 2-5 是太陽馬戲團的「消除—降低—提升—創造」
表，這個例子具體呈現這種工具在實際運用上能發掘
的產業現況。值得注意的是，本表點出這個產業長久
以來據以競爭、而業者發現能夠予以消除和降低的各
種因素。太陽馬戲團消除了傳統馬戲團的部分元素，
例如動物表演、明星演員、以及能同時上演數個節目
表演場。傳統馬戲團長久以來一直把這些因素視為理
所當然，從未質疑維持這些做法是否合乎時宜。但
是，社會大眾對於利用動物來表演，愈來愈不以為
然，而且動物表演是馬戲團成本開支最大的項目之

消除─減少─提升─創造表格：太陽馬戲團案例

消除	提升
明星演員 動物表演 在觀眾席賣東西 多環表演場	獨特場地
減少	**創造**
趣味和幽默 刺激和驚險	富有主題的節目 觀賞環境雅緻 製作多套節目 藝術歌舞

一，不僅添購動物要花錢，還要負擔訓練、照顧、豢養、保險和運輸的費用。同樣的，雖然馬戲團拚命宣傳明星演員，可是在一般大眾心裡，所謂的馬戲團明星根本無法與電影明星相提並論，這些明星演員成本很高，對觀眾的吸引力卻有限。三環表演場也已過時，這種安排不僅讓觀眾的目光無所適從，也使需要上場的表演人數大為增加，成本隨之加重。

優質策略的特質

　　黃尾袋鼠葡萄酒就像太陽馬戲團，創造了獨特而
又傑出的價值曲線，另闢藍海。正如黃尾袋鼠的策略
草圖所顯示，它的價值曲線擁有明確焦點；公司沒有
一舉囊括所有競爭關鍵，分散資源。它不以競爭對手
做模仿對象，卻用心探究另類選擇，結果它的價值曲
線與其他對手大異其趣。例如，黃尾袋鼠的策略組合
形成了非常清晰明確的標語：「簡單、有趣，每天都
能開懷暢飲的葡萄酒。」

　　因此，利用價值曲線來表現時，像黃尾袋鼠這種
有效的藍海策略，擁有三種互補的特質：焦點明確、
獨樹一幟、標語畫龍點睛。如果沒有這些特質，表示
企業策略可能模糊不清，毫無特性，很難與高成本結
構產生連結。創造新價值曲線的四項行動（消除、降
低、提升、創造）應該經過企業的微妙操作，導出具
備這三大特質的策略組合。藍海構想是否具備商業可
行性，這三大特質就是初步檢驗標準。

【能夠發揮作用的藍海策略，應有三種互補特質：焦點明確、獨
樹一幟、畫龍點睛的標語。】

　　西南航空的策略組合，顯示這三種特質如何呈現
該公司利用價值創新，改造短程航空業的有效策略
（參考圖表2-6）。搭飛機速度較快，可是搭車比較經濟
且富有彈性，旅客通常必須在兩者之間做取捨。西南
航空打破這種取捨，創造出藍海。為了達到這個目
標，西南航空用吸引一般大眾的低廉價格，以及有彈
性的繁多班次，提供快捷的運輸服務。透過消除和降
低傳統航空業的一些競爭因素、提升其他因素，並參

圖表 2-6

西南航空公司的策略草圖

考汽車運輸這個另類選擇，創造出新的因素，西南航
空得以用低成本的經營模式，爲搭機旅客提供空前的
利益，並達到價值上的躍進。

在策略草圖上，西南航空的價值曲線與其他競爭
對手顯著不同。它的策略組合是強大的藍海策略的典
型範例。

焦點明確

卓越的策略都有明確的焦點，而公司的策略組
合，也就是價值曲線，應該明確顯示出焦點所在。探
討西南航空的策略組合，一眼就可以看出該公司只強
調三個因素：親切的服務、速度、頻繁的點對點
（point-to-point）直達航班。由於西南航空只專注於這
些焦點，不爲餐飲、休息室和座位艙等做額外投資，
因此能夠提供堪與汽車運輸競爭的票價。相形之下，
西南航空的傳統競爭對手投資於航空業互相競爭的所
有因素，反而更難與西南的低廉票價競爭。這些企業
全面投資於所有因素，任憑競爭對手的作爲決定自己
本身的方針，導致成本昂貴的經營模式。

獨樹一幟

　　企業全心因應競爭而形成的策略會失去獨特性，想想大多數航空公司的餐飲和商務艙休息室，幾乎都大同小異。所以在策略草圖中，這些因應性質的策略通常擁有相同的策略組合。以西南航空為例，競爭對手的價值曲線確實都一模一樣，因此在策略草圖裡，只用上一條價值曲線，就可以把它們全部描繪出來。

　　相較之下，藍海策略的價值曲線總是有別於同行。藉著採用消除、降低、提升和創造這四項行動，它們的策略組合與同產業的一般輪廓顯著不同。例如，西南航空率先在中型城市之間，提供點對點直達航程，不像傳統航空業採用軸輻系統（hub-and-spoke system）的運輸方式。

畫龍點睛的標語

　　卓越策略的標語，都具備畫龍點睛的效果：「無論何時，以汽車的票價，提供飛機的快捷，」這是西南航空的廣告語，至少很適合作為標語。這讓競爭對手毫無招架之力。西南航空減少傳統航空業的餐飲、

座位艙等分級、休息室、軸輻連接航線、標準服務，
以及隨之而來的運輸速度下降與較高票價。腦筋再靈
活的廣告公司，都很難擬出生動有力的口號來涵蓋這
些作為。恰到好處的標語不僅要傳達明確信息，也必
須貼切宣揚產品特色，否則會喪失顧客信任，及對產
品喪失興趣。事實上，檢驗策略效用與力量的好方法
就是，宣傳口號是否強大而貼切。

　　正如圖 2-7 所顯示，太陽馬戲團的策略組合也符合
判斷藍海策略的三個標準：焦點明確、獨樹一幟、口
號別出心裁。太陽馬戲團的策略草圖，讓我們能夠把
它的策略組合與主要競爭對手做鮮明的比較。這個策
略草圖明確呈現出，太陽馬戲團的做法與傳統馬戲團
的理念差別有多大。玲玲馬戲團的價值曲線，基本上
與地區性的小型馬戲團一樣，主要差別在於地區馬戲
團受限於資源，所有競爭因素的表現都稍稍遜色。

　　相形之下，太陽馬戲團的價值曲線表現突出。它
提供一些超越傳統馬戲團領域的新因素，例如表演的
主題性、多套節目、舒適的觀賞環境、藝術性的音樂
和舞蹈。這些因素在馬戲團界前所未見，都是全新創
造出來的，概念借用自劇院這個現場娛樂表演的另類

> 恰到好處的標語不僅要傳達明確信息，也必須貼切宣揚產品特
> 色，否則會失去顧客的信任，並對產品喪失興趣。

圖表 2-7

太陽馬戲團的策略草圖

選擇。這樣一來，策略草圖明確描繪出影響產業競爭的傳統因素，以及創造出新市場空間、並改變產業策略草圖的新因素。

黃尾袋鼠葡萄酒、太陽馬戲團以及西南航空公司，分別在截然不同的產業環境創造出藍海。然而，它們的策略組合都擁有三個特質：焦點明確、獨樹一幟、畫龍點睛的標語。這三項標準能夠引導企業重建市場邊界，顧客和企業都能獲得價值躍進。

解讀價值曲線

策略草圖讓企業從當前情勢看出未來發展。爲達到這個目標，企業必須懂得解讀價值曲線。產業的價值曲線，暗藏有關經營現況與未來的豐富策略訊息。

首先，價值曲線能解答的是，這椿業務能不能馬到成功。如果一家公司或競爭對手的價值曲線，具備卓越藍海策略的三個特質（焦點明確、獨樹一幟、畫龍點睛的標語），表示這家公司的做法正確。這三項標準是藍海構想能否締造商業成功的初步檢驗方法。

另一方面，一家企業的價值曲線如果不能聚焦，那麼成本結構會偏高，而經營模式在落實與執行上也會變得複雜。價值曲線若缺乏獨樹一幟的特性，那麼企業策略往往流於抄襲跟風，在市場上毫無特色可言。最後，若是價值曲線少了抓住顧客的醒目標語，則很可能來自企業內部驅動，或是爲創新而創新，因此缺乏商業潛能，這種價值曲線不可能開花結果。

曲線重疊：紅海企業

一旦企業的價值曲線與競爭者重疊，表示這家企

業可能正陷於紅海的血腥纏鬥。企業的策略，不論是外顯策略或內隱策略，多半打算在成本或品質方面勝過競爭對手。這表示企業的成長會趨緩，除非這間公司的運氣特別好，從事正在起飛的產業。然而，這種成長並非來自企業策略，而是純屬運氣。

曲線過高：事倍功半

當企業價值曲線的所有因素都高居策略草圖的上層位置，問題就來了：企業的市占率以及獲利是否值得做出這些投資？如果答案是否定的，這種策略草圖顯示公司的供給可能超過顧客的需求，給了太多讓顧客所獲價值增加的要素。

曲線紊亂：欠缺願景

如果企業的價值曲線看來像是一碗義大利麵，錯綜彎曲毫無條理，也就是提供給顧客的品質參差不齊，顯示企業的策略欠缺一致性。它的策略可能是由一些互不相干的次級策略形成；個別看起來可能不無道理，業務可以運作如常，每個員工也忙個沒完，可是這些次級策略湊在一起，卻不能讓企業和產業中的

第一品牌區隔開來，也無法提供明確的策略願景。這
種情況往往是組織部門或職能各自爲政的後果。

策略出現矛盾

所謂策略矛盾，是指企業提高某個競爭因素的內
容標準，卻忽略了這個因素背後所需的支援。例如，
斥資設計使用便利的企業網站，卻未能改進網站緩慢
的作業速度。企業提供的產品水準與價格，也可能出
現策略矛盾的現象。例如，加油站發生「價高質低」
的現象，也就是價格高於競爭對手，服務品質卻遠遠
落後，難怪這種加油站的市占率快速下降。

心中無顧客

在描繪策略草圖時，企業如何標示產業競爭因
素？例如，企業是否使用「百萬赫」而非「速度」，使
用「熱水溫度」而非「熱水」？形容這些競爭因素
時，是使用顧客能夠了解和重視的詞句，或採用作業
術語？策略草圖使用的這類語言，反映公司的策略願
景是建築在由需求面推動的「由外而內」觀點，或是
由本身作業推動的「由內而外」觀點。分析策略草圖

【為了創新價值，企業不能光注意哪些因素需要提升、創造，還
必須決定哪些應消除或降低，才能與同業區隔。】

　　的用語，可以協助企業了解，自己與創造產業需求之
間的距離有多遠。

　　　本章介紹的工具與架構，是貫穿全書的基本分析
方法，其他章節將視情況需要介紹其他輔助工具。交
叉應用這些分析技術以及藍海策略擬定與執行的六個
原則，讓企業擺脫競爭，開啓無人競爭的市場空間。
我們接著會探討下一個原則——改造市場邊界。下一
章，我們將討論如何開創機會最大且風險最小的途
徑，以通往藍海。

策略形成的原則

BLUE OCEAN STRATEGY

擬定藍海策略有四大原則：

1. 重建市場邊界
2. 聚焦願景，數字擺一邊
3. 超越現有需求
4. 策略次序要正確

用策略草圖畫出你的價值曲線，開發藍海策略
接下來就是執行力的問題。

藍海策略

第 3 章

重建市場邊界

傳統的市場競爭裡看不到藍海商機。
企業應從六大途徑重新定義產業界限,
依據各種替代產業、策略群組、顧客群、
輔助產品和服務、產業的功能和感情定位,
以及長期趨勢,走出傳統競爭思維,
減少「搜尋風險」(search risk)。

　　藍海策略的第一個原則，就是重建市場邊界，以便擺脫競爭並創造藍海。這個原則主要是針對搜尋風險，許多公司為此絞盡腦汁；其中的挑戰在於從眼前無數的潛在機會中，找出具有強大獲利潛能的藍海商機。這項挑戰相當關鍵，因為企業經理人絕不能像賭徒，靠著直覺或隨機下注的方式，來決定公司策略。

　　進行研究時，我們希望發掘出有系統有組織的模式，能藉此重建市場邊界並創造藍海。如果行得通的話，我們也想知道這些模式能否適用於各行各業──例如消費品、工業生產、金融服務、電訊資訊，以及製藥和B2B電子商務──還是只限於特定行業。

　　結果我們發現，創造藍海有清楚的模式可循。說得更明確一點，我們發現六種重建市場邊界的基本途徑，叫做「六大途徑架構」（six paths framework）。這些途徑適用於各種行業，可以引導公司開發出可望獲利的藍海構想。這些途徑並不需要對未來獨具慧眼或洞察，而是奠基於探究既定事實資料的全新角度。

　　這幾個途徑挑戰了很多企業策略所依據六大基本假設。大多數的公司將這六大假設視為理所當然並形成策略，反而陷入紅海競爭。具體來說，企業會因循

舊假設並採取以下做法：

- 沿用產業舊有競爭邏輯，一心想在其中出類拔萃。
- 從一般策略群組（例如高級車、小型車、家庭房車）的角度來看競爭，並試圖在這個策略群組內脫穎而出。
- 聚焦於相同的顧客群組，像是採購者（例如辦公室設備業）、使用者（例如成衣業），或是群組中的影響者（例如製藥業）。
- 以慣用方式定義本行提供的產品和服務的範圍。
- 全盤接受產業的既有功能定位或感性定位。
- 在擬定策略時，專注於同樣的時間點，而且往往只看到眼前的競爭威脅。

企業要是執著於產業中勝出的傳統思維，它們的競爭方式會趨近雷同。但是，為了創造藍海，經理人不能只看傳統市場邊界裡面的情況，必須有系統地探討產業之外的天地。他們必須檢視各種另類行業、策

略群組、顧客群組、互補產品和服務、本行的功能和
感性定位，甚至探討本行的長期發展趨勢。這種做法
能讓企業對如何重建市場現實，以開啟藍海了然於
心。現在就讓我們來探討這六種途徑如何發揮作用。

途徑一：跨足另類產業

　　從最廣泛層面來看，公司的競爭對象不只是產業
中的同行，還包括提供另類產品或服務的其他產業。
另類（alternative）的範疇遠比替代（substitute）廣
泛。「替代」意指形式不同，可是功能或核心效益一
樣的產品或服務。「另類」卻包括功能和形式不同，
可是目的相同的產品或服務。

　　例如，從事個人理財，可以購買和安裝財務軟
體、雇用會計師，或使用紙筆計算。軟體、會計師和
紙筆大致可以彼此替代。它們形式不同，可是同樣具
有協助管理私人財務的功能。

　　相形之下，產品或服務可能有不同形式和功能，
卻能夠達到相同的目的。就以電影院和餐館來說吧。

餐廳與電影院的設施大不相同，功能也不一樣。餐廳可以滿足口腹之慾和交談樂趣，電影則是視覺娛樂，兩者提供的經驗截然不同。然而，儘管形式和功能有別，上館子和看電影的目的一樣，都是為了在外頭輕鬆享受一個晚上。餐廳和電影院不是彼此的替代品，而是彼此的另類選擇。

買方每次進行採購決定時，都會衡量各種替代品，而且經常是不自覺地盤算各種選擇。例如，你能不能撥出兩個鐘頭逍遙一下？做什麼比較好？看電影呢、去按摩呢，還是帶一本好書到咖啡店裡消磨時間？不論是個別消費者還是企業採購者，都會進行這種直覺的思考程序。

但是，我們變成賣方時，常為某些緣故放棄這種直覺思考。賣方鮮少意識到顧客對各種另類選擇的取捨是如何進行的。在同一產業裡，產品價格或形式一有變動，甚至只要廣告翻新，都可能挑起同行對手的大動作反擊。但是，相同行動若是來自另類產業，卻常被忽略過去。專業期刊、同業商展、消費者評鑑報告，都強化了各產業之間的壁壘。但是，價值創新的機會往往來自各種另類產業的相鄰空間。

案例：誰說企業不能共用飛機

以 NetJets 為例。這家公司在噴射機持分市場開拓
出藍海，不到 20 年的時間，規模就已超過許多航空公
司，擁有超過 500 架飛機，在超過 140 個國家飛航超過
25 萬架次。 1998 年由柏克夏海瑟威公司（Berkshire
Hathaway）收購後， NetJets 現已是價值數十億美元的
企業， 1993 年到 2000 年每年營收成長 30% 至 35%。
一般認為 NetJets 的成功，主要是靠作業彈性、縮短旅
行時間、提供便捷的旅行經驗、更加可靠，以及策略
定價。事實上， NetJets 是藉著放眼另類行業，重建市
場邊界，並創造出自己的藍海。

航空業最大的財神爺就是商務旅客。 NetJets 著眼
於既有的另類行業，發現商務旅客搭機時，主要有兩
種選擇。企業主管可以搭乘商用客機的商務艙或頭等
艙，公司也可能自己買飛機應付商旅需求。問題是，
公司為什麼非得在各種另類選擇之間做取捨？ NetJets
聚焦於企業衡量各種另類選擇的關鍵因素，消去並減
少其他變數，就此開創出自己的藍海策略。

試想：公司為何決定讓公出員工搭乘商務客機？
當然不是看上大排長龍的機場報到程序和安全檢查、

> 【價值創新的機會往往來自各種另類產業的相鄰空間，然而專業
> 期刊、商展、消費者評鑑報告卻常強化各產業間的壁壘。】

也不是倉促轉機、過境住宿以及擁擠的機場。相反
的，企業選擇商務客機只有一個理由：成本。搭乘商
務客機可以省下價值幾百萬美元的噴射專機，以及維
修保險等固定投資；另一方面，公司只需購買每年需
要的機票，減少變動成本，也降低了公司專機閒置不
用所造成的浪費。

因此 Netjets 提供飛機所有權的十六分之一給顧
客，客戶可與另外 15 家公司共同擁有一架飛機，每家
公司每年享有 50 小時飛行時間。最低只要 37 萬 5000
美元（再加上駕駛員、維修和其他每月費用），公司就
可以購得價值 600 萬美元的飛機的一個持分[1]。顧客以
相當於商務客機票價的價格，享受私人噴射機的便
利。美國全國民航協會（National Business Aviation
Association）發現，如果把旅館、餐飲、旅行時間、各
種花費等直接和間接成本計入，搭乘商務客機頭等艙
的費用，比搭乘私人專機高得多。假定有四名旅客從
新澤西州紐瓦克前往德州奧斯汀，搭乘商務客機的實
際成本為 1 萬 9400 美元，而搭乘私人專機的成本為 1
萬 100 美元[2]。NetJets 藉著出售持分，避免了商務客機
為填滿愈來愈大的機體所需的龐大固定支出。NetJets

使用較小的飛機、較小的地區機場和有限的員工，將成本壓到最低。

要了解 NetJets 的作業模式的其他訣竅，不妨考慮反面情況：為什麼要放棄商務客機搭乘公司專機？這絕不是為了想花幾百萬美元買架飛機過癮，也不是想設立專門的飛行部門，負責安排時間和其他行政事務，更不是喜歡所謂的空機成本，也就是讓飛機從停放地點，飛到乘客所在地點的費用。相反的，公司購

圖表 3-1

NetJets 的策略草圖

買私人專機是爲了大幅減少旅行時間，免除擁擠的機場造成的種種麻煩，可以做點對點直線飛行，以及讓主管一到達目的地就精神抖擻地展開工作，發揮更大的生產力。因此，NetJets 努力加強這些優勢。美國有七成的班機集中飛往美國各地的 30 座機場，NetJets 的飛機卻飛航美國各地超過 5500 座機場，而且這些機場大多位於接近商業中心的便利地點。如果是國際飛行，專機甚至可以直接滑行到顧客的辦公室前面。

點對點直線服務，加上降落的機場劇增，免除了轉機的必要；原來需要過夜的出差，現在一天就可以往返。從抵達機場到飛機起飛只需幾分鐘，不必再浪費幾個鐘頭。例如，從華盛頓市到加州沙加緬度，搭乘商務客機需要 10.5 小時，搭乘 NetJets 專機只要 5.2 小時。從加州棕櫚泉到墨西哥聖盧卡斯岬（Cabo San Lucas），搭乘商務客機要 6 小時，搭乘 NetJets 專機只要 2.1 小時。NetJets 使旅行時間的成本大爲縮減。

最方便的是，只要提早四小時通知，你的噴射機隨時待命。如果有哪一架飛機騰不出來，NetJets 會爲你安排別的飛機。此外，NetJets 大幅消除安全方面的疑慮，並針對顧客的需要提供飛行服務，例如一登機

就可以享受到自己最喜愛的食物和飲料。

　　藉著提供商務客機和私人噴射機的優點，並消除和減少其他一切，NetJets 開啓價值數十億美元的藍海，讓顧客以低廉的固定費用和搭乘商務客機的極低變動成本，獲得私人噴射機的便利和速度（請參考圖表 3-1）。至於競爭呢？NetJets 表示，過去七年先後有 57 家公司設立噴射機持分作業，這 57 家公司都已先後倒閉。

案例：i-mode 行動上網

　　1980 年代以來日本最成功的電訊事業，也是採取第一種途徑。這就是日本電話電報公司（NTT）在 1999 年展開的 DoCoMo i-mode。i-mode 服務改變了日本民眾的連絡方式和資訊取得途徑。NTT DoCoMo 創造藍海的眼光，來自思索爲什麼必須對手機和電腦網路這兩種另類選擇做取捨。隨著日本電訊業解除管制，新的競爭對手進入市場，價格競爭和技術競賽成爲常態。結果導致成本提高，從每個用戶得到的平均營收減少。NTT DoCoMo 殺出這種血腥競爭的紅海，創造用無線電傳送語言、文字、資料和圖片的藍海。

【NTT DoCoMo 專注於網路和手機對彼此的決定性優勢，並消除或減少其他因素，打破這兩種另類選擇的抵換。】

　　DoCoMo 探索電腦網路和手機各有什麼獨特優點。雖然網路提供無窮無盡的資訊和服務，可是真正的殺手級應用（killer apps，改變一個產業的市場現況，摧毀並重建整個行業的新產品或服務）在於電郵、生活資訊（例如新聞、天氣預報、電話簿）和娛樂（各種比賽、活動和音樂娛樂）。電腦網路的最大缺點就是電腦硬體價格太貴、資訊太多、撥電話上網太麻煩，以及透過電子途徑傳送信用卡資料安全堪慮。在另一方面，手機的獨特優點就是攜帶方便、語音傳送和使用簡便。

　　NTT DoCoMo 並非藉著創造新的科技，而是專注於網路和手機對彼此的決定性優勢，並消除或減少其他一切，打破對這兩種另類選擇的取捨。它發展出使用便利的界面，只有一個簡單的按鍵，也就是i-mode按鈕（i代表互動〔interactive〕、網際網路〔Internet〕、資訊〔information〕和英文代名詞我〔I〕）。只要按下這個按鈕，立刻可以連接網際網路的少數幾種殺手應用。但是，這個按鈕不會像電腦網路一樣，用無窮無盡的資訊轟炸你，而是連接一些預先選定和獲得批准的網址，提供一些最流行的網路功

能。這種做法使得遨遊網路非常便捷。同時，雖然 i-mode 電話比普通手機貴上 25%，卻比個人電腦便宜得多，而且可以帶在身上到處跑。

此外，除了增加語音服務，i-mode 利用簡單的收費服務，讓用戶透過 i-mode 使用各種網路服務的費用，都集中在每個月的同一份帳單。這種做法大為減少用戶收到的帳單數量，也不必像使用網際網路一樣，提供信用卡資料。由於只要打開手機，i-mode 就自動啟動，用戶可以隨時與網路保持連結，不必費事登錄上網。

不論是標準手機或個人電腦，都無法與 i-mode 獨特的價值曲線競爭。到 2003 年底，i-mode 用戶達到 4010 萬人，傳送資料、圖片和文字內容的營收，也從 1999 年的 2 億 9500 萬日圓，暴增到 8863 億日圓。i-mode 服務不僅搶走競爭對手的顧客，也使市場大為擴大，吸引到無數年輕和年老用戶，並把原來只使用手機的語音服務的顧客，變成熱中於語音和資料傳送的用戶。

矛盾的是，那些爭相模仿 DoCoMo i-mode 的做法，企圖在西方開啟類似藍海的歐美同行，到目前為

止都宣告失敗。這究竟是怎麼回事？我們的評估顯示，這些歐美業者聚焦於提供最精深的科技，WAP（無線應用模式），卻沒有設法提供特殊價值。因此，它們只顧建立過於複雜的服務模式，錯過了龐大消費者重視的最重要而且普遍的共通需求。

其他許多大家耳熟能詳的成功事例，也是藉著跨足另類產業，創造出新的市場。家居貨棧（Home Depot）用遠低於傳統五金店的價格，向顧客提供專業房屋營建商的專門知識技能。藉著提供兩種另類選擇的決定性優點，並消除和減少其他一切，家居貨棧把住宅裝修的龐大潛在需求，變成實際需求，讓一般人都可以自己動手裝修房屋。西南航空公司專注於探討開車這種搭機的另類選擇，用開車的費用提供搭機的迅捷，創造出短程航空旅行的藍海。同樣的，直覺公司（Intuit）把鉛筆視為個人理財軟體的主要另類選擇，並發展出能夠靠直覺操作而又有趣的理財軟體「快捷」（Quicken）。

你的產業有哪些另類選擇？顧客對這些選擇進行取

捨的原因何在？只要全心加強顧客據以對各種另類行業
做選擇的重要因素，並消去或減少其他變數，你也可以
創造出新的市場空間並開發藍海。

途徑二：探討策略群組

　　正如探討另類行業往往能開發出藍海，探討產業
中的各種策略群組（strategic group）也能產生同樣效
果。所謂的策略群組，是指在產業中採行相同策略的
公司。在大多數產業中，業者採行策略的基本差異，
都可從幾個策略群組看出來。

　　策略群組通常可根據兩種層面粗略劃分等級：價
格和績效。價格每提高一級，某些層面的績效也往往
相對提高。大多數公司注重的是，在同一策略群組中
強化競爭定位；例如，賓士、寶馬（BMW）和捷豹
（Jaguar）都聚焦於如何在高級汽車市場勝出，而小型
車廠商則在自己的策略群組內想辦法超越其他對手。
然而，這兩個策略群組都不甚關注彼此的作為，因為
從供應面來看，它們似乎沒有相互競爭。

想要跨越現有策略群組並開發藍海，關鍵在於擺脫這種狹隘的眼光，深入探討顧客打算「講究」還是「將就」，並據此選擇某個策略群組的原因。

案例：屬於女性的曲線

這裡以曲線公司（Curves）為例。這家總部設在德州的女子健身中心，自1995年展開特許連鎖業務以來，展店之勢有如燎原野火，至今已超過6000家，會員超過200萬人，整體營收超過10億美元。平均每四個小時，全球就有一家曲線的新連鎖店開張。

更重要的是，這種成長幾乎全部來自口耳相傳和朋友引介。但是，曲線公司當初成立時，似乎是進入一個過度飽和的市場，顧客對它提供的服務興趣缺缺，而且和同行對手相比也平平無奇。儘管如此，曲線公司卻使美國健身業需求暴增，開啟一個尚待發掘的龐大市場、一個名副其實的女性藍海──想靠著健身運動維持體態，卻老是半途而廢的婦女。美國健身業主要包括兩個策略群組：傳統健身中心和家庭運動計畫。曲線公司致力強化這兩個群組個別的決定性優勢，消去和減少其他因素，打出一片天下。

傳統策略群組代表兩個極端。一頭是充斥美國健身業的傳統健身中心。它們男女兼收，有各類健身和運動可供選擇，位於市區高級地段，用時髦的設施吸引高級健身中心會員，提供各種有氧運動和加強體能訓練機器、果汁吧、健身教練，以及附有淋浴設備和三溫暖的全套更衣室，因為傳統健身中心希望顧客除了來運動，也把健身中心當成社交場所。這些顧客風塵僕僕趕到健身中心後，起碼會待上一個鐘頭，甚至消磨兩個鐘頭。月費大多在 100 美元左右，不太便宜，讓市場限定為高級而小眾。傳統健身中心的顧客只占整體人口的 12%，絕大多數集中在大都會區。提供全套服務的傳統健身中心，根據所在市區的位置，投資成本少則 50 萬美元，多則超過 100 萬美元。

另一個策略群組是由運動錄影帶和書刊雜誌形成的家庭運動計畫。這些產品費用低廉，在家就可以進行，多半不需要運動器材。它們提供的訓練指導很少，只有錄影帶裡的明星或刊物上的說明和圖解。

問題是，在傳統健身中心和家庭運動計畫之間，女性是根據什麼因素決定她要「講究」還是「將就」？少有女性會為了特殊運動器材、果汁吧、三溫

暖更衣室、游泳池，以及結識異性的機會，特地選擇健身中心。一般沒有運動習慣的女性，根本不希望讓異性看到她們穿著緊身褲，露出身上贅肉，氣喘如牛的費勁操練。她們也不喜歡為了使用器材排隊等待，調整這些機器的重量和角度。此外，現代婦女愈來愈忙碌，時間愈來愈寶貴，很少人能夠每周撥出幾天，到健身中心耗上一、兩個鐘頭。對於大多數女性，健身中心設在交通繁忙的市中心，也讓她們頭痛，上健身中心這回事成了壓力而令人望而卻步。

講求上健身中心運動的多數婦女，主要是為了一個理由：待在家裡太容易找到偷懶的藉口。原來就不喜歡運動的人，在自己家裡很難維持定時運動。與別人一起運動，比較容易維持動機並互相鼓勵。在另一方面，採用家庭運動計畫的人，主要是為了省時省錢和保持隱私。

曲線公司抓住這兩個策略群組的獨特優勢，消去並減少其他因素，建立它的藍海策略（參考圖表3-2）。它消去少有女性感興趣的傳統健身條件，包括種類繁多的特殊器材、飲食服務、三溫暖、游泳池，甚至取消更衣室，代之以布幔圍起來的更衣區。

　　曲線健身中心提供的使用經驗，迥異於典型健身中心。曲線健身中心的機器（通常大約十種）不像一般健身中心是面對電視機排成一列，而是圍成一圈，方便會員彼此交換使用，做起運動來更有趣。這種快速健身（QuickFit）圓形訓練系統，使用液壓運動器材，不需調整，安全，簡單好用，不再令人望而生畏。這些機器完全針對女性設計，減少衝擊力，但能強化肌力及重量訓練。運動時，會員可以彼此聊天打氣。這種不必相互打量比較的社交氣氛，與典型健身中心完全不同。健身房的牆上少有鏡子，也沒有男性在一旁行注目禮。會員利用排成圓形的運動器材和有氧踏步機依序操練，30 分鐘就可以完成整套運動。由於曲線公司專注基本服務，減少其他噱頭，因此月費可以降到 30 美元左右，讓無數女性都能夠進入這個市場。曲線公司大可推出這種口號：每天少買一杯咖啡並運動得宜，就能獲得寶貴健康。

　　曲線公司用更低的價格，提供圖表 3-2 呈現的獨特價值。設立傳統健身中心一開始就得投資 50 萬至 100 萬美元，可是曲線公司消去了許多非必要因素，因此設立曲線健身中心只要投資 2 萬 5000 至 3 萬美元（不

曲線健身中心的策略草圖

高

低

| 價格 | 福利設施 | 健身設備（跑步機、舉重設備等等） | 運動時間 | 有無教練 | 強化運動習慣及動機的環境 | 沒有異性在場 | 便利 | 讓女性感受樂趣的氣氛 |

曲線
家庭健身計畫
傳統健身中心

包括特許費 2 萬美元）。此外，曲線健身房只需 1500 平
方呎空間，而且選擇郊區非黃金地段，不像位於市區
黃金地段的典型健身中心，往往占地 3 萬 5000 至 10 萬
平方呎。由於需要的空間小得多，各種變動成本也大
為降低，人事費、維持費、租金都大為減少。曲線公
司的低成本經營模式，使它的特許費非常便宜，也難
怪連鎖店迅速發展。大多數連鎖店開張幾個月內，平
均可招收到 100 名會員並開始獲利。業務穩定的曲線

連鎖店，一轉手就可以賣到 10 萬至 15 萬美元。

　　結果，大大小小的城鎮都可以看到曲線健身中心。曲線公司並不與其他健身及運動概念直接競爭；它另行開發了新的藍海需求。隨著美國和北美市場趨於飽和，公司管理部門打算向歐洲發展，並在拉丁美洲和西班牙展開業務。2004 年底，曲線公司旗下的健身中心可望到 8500 家。

　　除了曲線公司之外，許多企業也藉著探討不同的策略群組，開發藍海。羅夫‧羅蘭（Ralph Lauren）開發的藍海是「超越流行的高級時尚」。它利用設計師品牌、典雅的店面、高級材質，呈現大多數高級時裝顧客重視的價值。同時，它用切合時宜的經典風格和價位，提供布魯克斯兄弟（Brooks Brothers）和巴巴利（Burberry）等美式和英式傳統名牌的精華特質。結合這兩個群組最誘人的因素，消除並減少其他因素，羅夫‧羅蘭不僅搶走這兩個群組的生意，也吸引許多新顧客進入這個市場。

　　在高級車市場，豐田的凌志車系（Lexus）以接近卡迪拉克和林肯轎車的價格，提供如高級車賓士、寶

馬和捷豹等更上一層樓的品質，因此創造出新的藍海。另一個例子就是索尼隨身聽（Sony Walkman）。結合音響業的手提音響的高傳真音質，以及電晶體收音機的低廉價格和機動性，索尼公司在1970年代末創造出個人袖珍立體音響市場。隨身聽從這兩個策略群組搶走很多生意。它的價值躍進也吸引新的顧客進入這個藍海，包括慢跑族和通勤族。

　　總部設在密西根州的冠軍企業（Champion Enterprises），藉著探討房屋建築業的兩個策略群組（組合屋和工地建商），發掘類似機會。組合屋價格低廉，施工迅捷，可是型式大同小異，而且予人品質粗糙的感受。工地建商建造的房子造型千變萬化，呈現高品質形象，可是成本昂貴得多，施工也更費時。

　　冠軍企業結合這兩個策略群組的決定性優勢，創造出藍海。它的組合屋建造迅速，又因大量生產，成本低廉，可是顧客可以選擇壁爐、天窗，甚至天花板挑高等時髦風格，讓「家」有了個人特色。冠軍企業改變了組合屋的定義。因此，愈來愈多的中低所得者寧願買間組合屋，不再租或購買公寓，甚至連有錢人也怦然心動，進入這個市場。

你的產業有哪些策略群組？顧客決定他要「講究」還是「將就」的因素是什麼？

途徑三：破解顧客鏈

大多數產業裡的競爭者，其爭取鎖定的目標顧客通常有個相同的定義。然而實際上，間接或直接牽涉到購買決策的，往往是一條顧客鏈。花錢購買產品或服務的「採購者」（purchaser），與實際的「使用者」（user）可能不是同一個人。有時還有重要的「影響者」（influencer）。這三個群組可能互相重疊，也可能不盡相同。這三者重疊的時候，經常對價值有不同的定義。例如，企業採購代理可能比較注重產品的價格，而企業使用者卻更注重產品好不好用。同樣的，零售商可能很看重製造商及時補貨和創新融資（innovative financing），可是同樣受到通路影響的一般消費者，反倒不會如此在意這些事情。

產業裡面的個別公司，經常鎖定不同的顧客區隔（customer segment），例如大主顧或小主顧。但是，單

一產業往往聚焦於單一買方。例如，製藥界全力爭取影響者（醫生），辦公室設備業積極拉攏採購者（公司採購部門），成衣業努力吸引使用者。有時候，這種聚焦隱含了堅強的經濟理由，然而通常僅只是沿襲產業實務，從來沒有人加以質疑。

反省產業鎖定顧客群組的傳統思維，很可能發掘出新的藍海。藉著探討不同的顧客群組，企業往往能獲得新的啓發，知道如何重行設計價值曲線，開發出過去一直受到忽視的新顧客群。

案例：筆針貼合糖尿病患的需求

製造胰島素的丹麥諾和諾德（Novo Nordisk）公司，就是在本行開創出藍海。糖尿病患必須用胰島素調節血液中的血糖含量。就像製藥業大多數部門一樣，胰島素廠商向來致力爭取這一行最重要的影響者：醫生。醫生對糖尿病患購買胰島素的決定，具有一言九鼎的分量，使他們成爲業者鎖定的顧客群。因此，業者全心全意地製造更純淨的胰島素，以滿足醫生對尋求更好的藥物的需求。問題在於到 1980 年代初，純化科技的創新已有重大進展。只要胰島素的純

度一直是藥廠互相競爭的主要標準，就可以繼續往這個方向做一些小小的改進。諾和諾德已製造出第一種「人工合成」（human monocomponent）胰島素，其化學結構與人體自然製造的胰島素一模一樣。這一行主要廠商的競爭正迅速匯集形成。

但是，諾和諾德看出，它只要把本行長久以來專注於爭取醫生認同的做法，轉移到吸引使用者，也就是直接爭取病患，就可以擺脫競爭，創造藍海。在研究如何吸引病患的過程中，諾和諾德發現糖尿病患拿到的胰島素向來是小瓶裝，使用非常不便。病人必須同時對付注射筒、針頭和胰島素，並根據自己的需要使用適當劑量，整個程序既複雜又討厭。社會大眾覺得針頭和注射筒看來令人不舒服，也使病人感到不快。他們不希望外出時還要用注射筒和針頭，但許多病患每天必須多次注射胰島素，這種情形免不了。

這個發現促使諾和諾德在 1985 年推出諾和胰島素筆針（NovoPen），掌握創造藍海的契機。這種胰島素筆針是第一種使用簡便的胰島素注射器，整個設計就是要消除使用胰島素的麻煩和難堪。諾和筆針外型類似鋼筆，裡面有個裝胰島素的藥匣。一支注射筆針可

以供應大約一星期所需的藥量，而且附有會卡嗒出聲
的計量裝置，連失明病患都可以控制劑量，自己注射
胰島素。病患可以隨身攜帶筆針，隨時輕鬆地補充藥
劑，而又不會有使用注射筒和針頭的難堪麻煩。

　　為了掌握筆針開啓的藍海，諾和諾德 1989 年再接
再厲，推出胰島素定量注射劑 NovoLet。這種預先裝
滿藥劑，用後即丟的胰島素注射筆針，劑量系統使用
更爲簡便。 1999 年它又推出 Innovo，一種統合電子記
憶功能和藥匣的注射系統。 Innovo 附有記憶裝置，可
以爲患者管理胰島素的施用，並展示最新注射劑量、
上次劑量和中間間隔時間。這些資料對減少風險至爲
重要，也不必擔心錯過用藥。

　　諾和諾德的藍海策略，使這一行完全改觀，也把
該公司從胰島素生產商變成糖尿病照護企業。諾和胰
島素筆針和後來那些注射系統，迅速席捲胰島素市
場。預先裝滿藥劑的胰島素注射器或筆針，銷售量已
稱霸歐洲和日本市場，因爲這些地方的醫療業者敦促
病患每天經常注射胰島素。諾和諾德在歐洲的市場占
有率超過六成，在日本超過八成。它的營業額有七成
來自糖尿病照護，而這種服務主要來自從使用者的角

度思考，不再只思考影響者的看法。

　　彭博企業（Bloomberg）也是如此，而且不過短短十年，就躋身全球規模最大、最賺錢的商業資訊供應業者。彭博公司在 1980 年代初創立之前，路透和德勵財經資訊網路（Telerate）是網路金融資訊業兩大霸主，對經紀商和投資界提供及時新聞和報價。這一行鎖定的顧客群是採購者，也就是金融機構的資訊經理。他們很重視標準化系統，因為這種系統讓他們日子比較好過。

　　彭博覺得這不合理。每天幫老闆賺進或虧掉幾百萬美元的是交易員和分析師，而不是資訊經理。這一行是利用資訊方面的出入來賺錢。市況繁忙的時候，交易員和分析師必須瞬間做出決定，分秒必爭。

　　因此，彭博設計出一套對交易員更有用的系統，配合使用簡便的終端機，以及標示熟悉金融術語的鍵盤。這套系統附有兩個平面監看器，讓交易員能夠同時看到他們需要的一切資料，不必開關好幾個視窗。由於交易員必須先分析資料，才能採取行動，彭博為這套系統加入內建式分析功能，只要按一個鍵就可以

啓動。交易員和分析師以前必須下載資料，用鉛筆和
計算機做重要的金融計算。現在他們只要啓動「假設」
情境，馬上就可以計算出各種不同投資的報酬率，也
能夠對歷史資料做縱向分析。

　　藉著探討使用者的需求，彭博也發現交易員和分
析師私人生活存在的矛盾現象。他們收入非常高，可
是工作時間極長，根本沒有時間花錢。彭博知道市場
每天都有一些時間交易清淡，因此決定提供一些資訊
和採購服務，以豐富交易員的私人生活。交易員能夠
利用這些服務，購買鮮花、衣物、首飾，安排旅遊活
動，獲得有關佳餚美酒的資訊，或是搜尋上市求售的
房地產資料。

　　藉著把焦點從採購者往上追溯到使用者，彭博創
造出與這一行傳統做法截然不同的價值曲線。交易員
和分析師利用他們在公司裡面的勢力，迫使資訊經理
購買彭博的終端機。

　　佳能公司（Canon）把影印機業鎖定的顧客群，從
公司採購者轉移到使用者，創造出小巧的桌上型影印
機業務。思愛普（SAP）把商業應用軟體業鎖定的顧
客群，從功能使用者轉移到公司採購者，創造出極為

成功的及時統合軟體業務。

你那一行的顧客鏈是什麼樣子？這個產業通常鎖定哪一個顧客群組？如果轉變產業的顧客群，可以用什麼方式開啟新的價值？

途徑四：互補產品與服務

產品和服務鮮少是與處於真空環境與世隔絕；它們的價值往往受到其他產品和服務影響。但是，在大多數產業，競爭都集中在本行產品和服務的範圍內。就以電影院為例，找保母看小孩加上停車的費用與便利性，都會影響一般對看電影的價值認知。但是，這些補充服務（complementary service）卻超出了戲院業的傳統疆界。電影院老闆極少想到顧客要找臨時保母有多困難，或要花多少錢。他們實在應該設身處地為顧客著想，因為這絕對影響他們的生意需求。試想電影院如附設托兒服務，會出現何種情況？

互補產品和服務經常隱藏著尚待開發的價值，而

箇中關鍵在於買方選擇某種產品或服務所期待的整體
解決方案（total solution）應如何界定。要做到這點，
有個簡單的辦法，那就是思考顧客在使用你的產品之
前、之時、之後，經歷過哪些程序。顧客在進入電影
院之前，必須先安排保母、把車停好。電腦硬體需要
操作軟體和應用軟體配合才能使用。在航空業，旅客
下機後需要地面交通工具，這顯然也是顧客往來所
需。

案例：公車設計有訣竅

匈牙利的NABI巴士公司將途徑四應用在年營業
額10億美元的美國客運巴士業。這一行的主要顧客是
公共運輸單位（public transport properties，PTPs），以
及在主要城市或郡縣提供固定路線公車服務的市營交
通公司。

這一行慣用的競爭法則是，巴士業者競相提供最
低售價。由於業者拚命省錢，產品設計過時、交車時
間延誤、品質低落、各種額外配備的花費高得嚇人。
但是，NABI認為這一切根本不合理。市營公司使用

的巴士平均要服務 12 年，業者怎麼能只關心一開始購買巴士的價格？NABI 用這種角度切入市場，體認到整個產業未能發覺的事實。

NABI 發現公營巴士花費最大的不是巴士本身的價格，雖然這是整個巴士製造業競爭的焦點。買進巴士以後的平均 12 年使用期，為了讓巴士保持運作所需的花費更大。發生事故後的修理、燃料費、由於巴士的重量經常需要更換的組件損耗、車身防鏽處理等等，這些才是公營巴士最大的成本開支事項。新的清潔空氣法規，也使市政府開始感受不合乎環保的公共交通工具造成的成本。但是，儘管這些開支遠超過巴士買價，業者卻完全漠視巴士的維修保養等輔助活動，以及巴士整個使用週期的成本。

NABI 體會到客運巴士工業其實不必成為由商品價格推動的行業，可是巴士廠商一心用最低價格銷售巴士，把這一行變成這個樣子。藉著探討輔助活動的整體解決辦法，NABI 創造出一種這個產業從來沒有見過的巴士。巴士通常是用鋼鐵製造，既笨重、容易生鏽，發生事故後又不容易修理，因為板金必須整塊換掉。NABI 用玻璃纖維製造巴士，收到一石五鳥的效

果。用玻璃纖維製造的車身不會生鏽，使防鏽保養費用大減。車身修理起來更快、更便宜，也更容易，因為玻璃纖維不需因出現傷痕或事故而整塊更換，只要把受損的部分切掉，焊上新的玻璃纖維材料即可。同時，玻璃纖維重量很輕（比鋼鐵輕了30%至35%），使燃料效益大為提高，廢氣則大為減少，更合乎環保需求。此外，由於重量減輕，NABI不僅可以使用動力較低的引擎，也可以減少車軸，製造成本隨之降低，巴士裡面的空間也更寬敞。

　　NABI用這種方式，創造出與本行一般價值曲線截然不同的曲線。正如圖表3-3所示，藉著用重量較輕的玻璃纖維製造巴士，NABI消除或大肆減少與防鏽處理、維修和燃料有關的成本。因此，雖然NABI的產品定價高於本行平均價格，可是它的產品整個使用週期耗費的成本卻低得多。由於排放的廢氣大減，NABI巴士的環保標準遠高於同業水平。此外，NABI的產品定價較高，使它能夠創造本行前所未見的一些因素，例如合乎現代美感的造型，以及針對顧客提供的貼心設計，包括車身底盤較低，便利乘客上下車，以及座位增加，減少站立搭乘的人數。這些新設計提高

了客運巴士的服務需求，爲市政府帶來更多營收。NABI改變了市政府對巴士服務的營收和成本的看法，並藉著降低整個使用週期的成本，爲顧客（包括市政府和終端使用者）創造額外價值。

市政府和乘客果然都很喜愛這種新巴士。NABI自1993年成立以來，已攻下美國兩成的市場，而且迅速搶占市場占有率、成長率和獲利率的霸主地位。總部設在匈牙利的NABI公司，創造出一個藍海，使美國市場現有的競爭變得失去意義，也爲自己、市政府、搭車的市民等所有人製造全贏契機。它累積的訂單已超過10億美元，2002年10月獲英國經濟學人智庫（Economist Intelligence Unit，EIU）評選爲全世界最成功的30家企業之一。

同樣的情形也出現在英國茶壺業。雖然茶壺在英國文化占有重要地位，可是銷售平平，獲利不斷縮減。直到飛利浦電子（Philips Electronics）推出一種茶壺，才化紅海爲藍海。飛利浦藉著思考互補產品和服務，發現英國人泡茶最大的問題不在茶壺本身，而在於茶壺的互補產品——必須用茶壺煮開的「水」。自來

2001 年左右的美國市政府巴士業策略草圖

高

NABI

美國一般客運巴士

低

| 新車售價 | 鏽蝕 | 維修保養 | 燃料消耗 | 環保 | 美感設計 | 體貼顧客 |

使用週期成本

水中有水垢，煮開後會沈澱在茶壺裡，泡茶時又跑到茶水中。冷靜自持的英國人總是不動聲色拿起茶匙，仔細撇掉礙眼的水垢，然後才喝茶。但是，茶壺業者從來不考慮水質問題；那是自來水公司的責任。

飛利浦公司從顧客的整體解決方案中，最惱人的痛點（pain point）來思考，並發現水質問題暗藏玄機。結果飛利浦創造出一種壺嘴附有過濾器的水壺，倒開水時，能徹底濾掉水垢。從此以後英國人在家裡泡茶，不會再看到水垢在茶湯裡載浮載沈。民眾紛紛

用附有濾嘴的水壺換掉家裡的舊壺，使這個沈寂已久
的行業重現生氣，業務又強勁成長。

　　企業遵循這種途徑創造出藍海的例子多不勝數。
博德士（Borders）和邦諾（Barnes & Noble）超級書
店，重新定義本行服務範疇，把它們推銷的產品從賣
書，變成提供閱讀和知識探索的樂趣。它們在商店裡
增加舒適的椅子、熟諳書籍的工作人員、咖啡吧，創
造出鼓勵閱讀和學習的環境。不到六年間，博德士和
邦諾就成為美國兩大連鎖書店，旗下共有超過1070家
超級書店。維京娛樂集團（Virgin Entertainment）的超
級商店，結合雷射唱片、錄影帶、電腦遊戲、音響設
備，以滿足顧客各種娛樂需求。戴森公司（Dyson）特
別設計的吸塵器，消除了購買和更換集塵袋的費用和
麻煩。捷利康公司（Zeneca）的 Salick 癌症中心，把病
人可能需要的各種癌症治療集中在同一個設施裡，使
他們不必為自己需要的每一種服務分別預約，在不同
的特別中心往來奔波。

　　你的產品或服務的整個使用流程如何？在使用之
前、使用過程、使用過後有哪些情況？你能否指出痛點

所在？如何經由互補產品或服務消除這些麻煩？

途徑五：理性訴求 vs 感性訴求

　　產業中的競爭，通常不僅聚焦在一般認定的產品和服務範圍，也經常圍繞著兩種可能的訴求基礎打轉。有的行業主要根據產品的效益，以價格和功能競爭：這種訴求是理性的。其他行業主要是跟著感覺走：這種訴求是感性的。

　　但是，大多數產品或服務的吸引力，很少天生就屬於理性或感性。相反的，這通常是企業長久以來的競爭方式造成的，使業者不自覺地教育消費者產生某種期待。公司的作法會以循環加強方式，影響顧客的期待心理。長期下來，功能定位的行業愈來愈功能中心，感性定位的行業也更加趨近於感性訴求；難怪市場研究已難對吸引顧客的因素找出什麼新意。產業已訓練顧客期望哪些東西。顧客接受調查時，自然成為應聲蟲：選擇多一點，價格低一點。

　　企業只要願意檢討產業中既有的功能或感性定

位，往往可以開發出新的市場空間。我們觀察到兩種
模式較爲常見。感性定位的行業經常提供許多額外噱
頭，不必強化功能也可以拉高產品售價。拿掉這些噱
頭可能創造另一種更簡單、便宜、低成本的經營模
式，並受到顧客喜愛。相對的，功能定位的產業如果
將產品的感性因素增加，往往能夠爲原有商品注入新
生，刺激出新的需求。這方面有兩個著名例子，一是
帥奇錶（Swatch），另一個是美體小舖（Body Shop）。
帥奇錶把講究功能的平價錶，扭轉爲感性導向的時尚
宣言。美體小舖則反其道而行，將感性導向的化妝品
業，變成講究功能的務實美妝企業。

案例：沒有洗頭服務的髮廊

　　再來看 QB 之家（Quick Beauty House）的經驗。
QB 之家在日本美髮業開拓藍海，並在亞洲各地迅速擴
展業務。 1996 年在東京創立時， QB 之家只有一家店
面， 2003 年已超過 200 家。 1996 年上門的顧客有 5 萬
7000 人， 2002 年增加到 350 萬人。 QB 之家正在新加
坡和馬來西亞積極發展，預計到 2013 年將在亞洲各地
擁有 1000 家店面。

QB之家的藍海策略核心，就是把亞洲美髮業從感性定位轉移到高度功能導向。在日本，男士理髮大約需要一個小時。原因何在？因為一長串美髮程序，將剪頭髮變成一種儀式──熱敷毛巾一條接著一條、肩膀按摩推拿、熱茶和咖啡一邊奉上；而設計師也有一套儀式作業，包括髮質和肌膚的特別護理，例如吹整和修面。結果顧客待在店裡的時間，只有極少部分是花在剪髮。這套繁複作業也使顧客大排長龍，而理一個頭得花3000至5000日圓。

　　QB之家完全顛覆傳統做法。它知道有很多人不願意花一個鐘頭理頭髮，工作忙碌的專業人士更沒有這種閒情逸致。因此QB取消感性訴求的服務，例如熱毛巾、按摩服務、飲料提供；另外還大幅減少特別的護髮程序，專注於最基本的剪髮作業。更進一步的是，QB取消耗費時間的傳統洗髮和吹整，另外創造出「空氣式淨髮」（air wash）。設計師剪完頭髮，只要把一支懸在上方的管子拉下來，就可以像吸塵器一樣，把髮屑吸得乾乾淨淨。這套新系統運作又快又好，顧客連頭髮都不必打濕。這些改變把剪頭髮的時間從一小時縮減為十分鐘。此外，每家美髮店外面還有個交通號

誌，顯示店裡是否還有空位。這種做法消除預約的必要，顧客也不必猜測還要等多久。

QB 之家利用這種方式，把剪髮價格減至 1000 日圓，遠低於這一行平均 3000 至 5000 日圓的收費標準。同時，它每個設計師需要的工作空間較小，每個人每小時的營收卻提高將近五成，人事費用大爲降低。QB 之家創造出這種「務實」美髮服務，並提高衛生水準。它不僅爲每一張椅子提供一套清潔設備，也採用「一次使用」政策，爲每位顧客提供一套新毛巾和梳子。圖表 3-4 有助於了解 QB 的藍海策略。

案例：打造你的夢想家

全球第三大水泥廠商 Cemex 公司，是另一個扭轉產業定位並創造出藍海的企業，只不過 Cemex 是反過來將功能訴求轉移到感性訴求。在墨西哥銷售的水泥，有 85% 以上是袋裝零售，賣給自己動手裝修的一般民眾[4]。但是，這種市場毫不引人，不買水泥的人遠多於買水泥的顧客。儘管墨西哥的貧困家庭多半是自有地主，而水泥又是價格低廉而且功能明確的建材，可是墨西哥人習於擁擠的居住環境。少有家庭加蓋房

> 感性定位常提供許多噱頭，拉高產品售價。拿掉這些噱頭可能
> 創造更低成本的經營模式，並受到顧客喜愛。

圖表 3-4

QB 之家的策略草圖

子，即使有人大興土木，加蓋一個房間平均也得花四
到七年。原因何在？因為大部分家庭把多餘的錢，花
在村莊慶典、女孩的 15 歲生日派對、受洗和婚禮。對
這些重要節日一擲千金可以在鄰里間揚眉吐氣，在這
上頭儉省會被視為自大失禮。

因此，雖然擁有一間水泥屋子是許多人的夢想，
墨西哥大部分貧民卻沒有足夠和穩定的積蓄購買建
材。Cemex 保守估計，如果能夠開發這種潛在需求，

市場可能成長到一年營業額5至6億美元。

1998年Cemex針對這種困境，推出「當下傳承」（Patrimonio Hoy，意即：蓋間房子留給子孫，就趁現在）計畫，把原本定位為功能性產品的水泥搖身一變，成為夢想的禮物。顧客購買水泥，等於打造愛的房間，共享歡笑和幸福。還有什麼比這個更好的禮物？當下傳承計畫的基礎，在於墨西哥傳統的社區儲蓄制度「起會」（tanda）。如果有十個人參加一個會，連續十個星期，每人每個星期得出一筆錢（例如100匹索）。大家在成會第一個星期抽籤，決定未來十週每個星期由誰標到1000匹索（93美元）會錢。每個成員只能標到一次1000匹索，不過他們可以一口氣拿到一大筆錢，足以大肆揮霍一番。

傳統起會時，得標的家庭往往把會錢花在重要節慶或宗教活動，像是受洗或婚禮。但是，當下傳承計畫是將標到的會錢移作房屋加蓋的水泥費用。這可視為一種結婚禮物登記制度，只不過送的不是銀器。Cemex把水泥定位成愛的禮物。

Cemex成立的當下傳承建材互助會，約由70人組成。他們每個星期平均各出120匹索，持續70個星

期。但是，每個星期標到會錢的人，拿到的不是整筆現金，而是可以用來蓋新房屋的等值建材。Cemex 負責將水泥送貨到府，還會傳授如何成功蓋房子的施工課程，工程期間，還有技術顧問與他們保持連絡。

Cemex 的競爭同業光是賣水泥，Cemex 銷售的是夢想，並以創意融資方式和施工訣竅設計出一套經營模式。更厲害的是，Cemex 在新房間完工後，會在當地城鎮舉辦慶祝小派對，藉此強化以加強民眾獲得的幸福感受及標會的傳統。

Cemex 調整水泥的感性定位，並配合獨特融資方式和技術支援之後，產品需求急遽增加。裝修房子的家庭多出大約兩成，還有許多家庭打算加蓋兩、三個房間。在這個打價格戰、成長遲緩的市場，Cemex 的業績以每個月 15% 的幅度成長。雖然它的水泥價格比一般貴上 3.5 匹索，迄今，大批自己動手蓋房子的人所消耗的水泥已經增加兩倍，從平均每四年消耗 2300 磅，達到每 15 個月就消耗掉等量的水泥，這都歸功於 Cemex 的策略。經過標會售出的水泥可先預估數量，讓 Cemex 的庫存成本更低、生產作業更順暢、銷路有保障並調降資金成本，結果拉低整個成本結構。來自

社會的壓力也將拖欠會款的情況減到最少。整體來看，Cemex 以水泥的感性定位開創藍海，沒花多少成本便做到差異化。

　　同樣的，輝瑞（Pfizer）藥廠推出的威而剛（Viagra）風行全球，把業務焦點從醫療轉移到改善生活方式。星巴克則徹底重建咖啡業，把這焦點從商品銷售，變成販賣氣氛，讓顧客在其中享受咖啡的香醇。

　　一些服務業正創造出各種藍海，只不過它們的做法正好相反，從感性訴求轉移到功能訴求。保險、銀行和投資等講究人際關係的業務，向來非常仰賴經紀人與客戶的交情。這種情況已到了需要改變的時候。英國直線保險公司（Direct Line）即取消了傳統經紀人。它認為只要公司能夠提供更好的服務，例如迅速理賠和免除複雜的文件作業，顧客實在不需要傳統經紀人提供的握手和感情撫慰。因此，直線公司取消經紀人和地區辦事處，利用資訊科技改善理賠作業，並降低保費，與顧客分享部分省下的成本。在美國，提供股市指數基金的先鋒集團（Vanguard Group），以及提供股票交易經紀服務的嘉信理財（Charles

Schwab），都在投資業採取同樣做法，把講求私人關係的感性定位業務，變成高績效、低成本的功能性業務，藉此創造出藍海。

你的產業競爭是依據功能訴求還是感性訴求？如果是根據感性訴求，你可以消除哪些因素，使它走向功能定位？如果你是根據功能一較高下，你還能增加哪些因素，將它推向感性定位？

途徑六：看見未來趨勢

所有產業都會面臨外部趨勢變遷而影響經營。就以網際網路迅速崛起，以及全球環保運動為例。以正面角度看待趨勢，有助於掌握藍海契機。

大多數公司只會隨著現實情況演變，漸進而被動地設法因應。不論是新科技登場，或是管制法規出現重大改變，經理人通常只顧猜測有關趨勢本身的發展。換言之，他們只想知道科技的演變方向、如何加以採用、能不能衡量其規模。他們專注於追蹤當前趨

勢的發展步調，據以調整自己的做法。

　　但是，僅只推估趨勢本身的發展，很難掌握藍海策略的關鍵奧妙。相反的，要獲得這種了解，必須探討這些趨勢將如何改變對顧客的價值，以及對公司經營模式可能造成的衝擊。藉著探討本行的長期發展趨勢，從了解市場現在提供的價值，一直到它日後可能提供的價值，經理人可以積極塑造公司的未來，並掌握新的藍海。探討長期發展趨勢，可能比前面討論的做法困難，但可用同樣嚴謹的方式來進行。

　　在評估長期發展趨勢時，有三個原則至為重要。不論任何時候，都能夠看到許多趨勢，例如科技出現中斷、新的生活方式興起、社會環境或管制法規改變。但是，通常只有一、兩種趨勢會對任何特定行業造成決定性衝擊。有時即使看到某種趨勢或重大事件，也不見得能夠預測它的發展方向。

　　例如，1998 年的亞洲金融危機，絕對是個對金融服務業造成重大衝擊的趨勢。但是，要預測這個趨勢會如何發展實在不可能，因此企圖據此擬定藍海策略非常危險。相形之下，歐元取代歐洲各國貨幣的過程，一直遵循一個固定軌跡演進。這是金融服務業一

【我們談的不是預測未來，因為未來是不可能預知的。相反的，
我們是指從當前觀察到的趨勢發掘商業契機。】

個具有決定性、無法扭轉、擁有明確軌跡的發展趨
勢，在歐洲聯盟繼續擴大之際，大可據以創造藍海。

　　一旦看出這種趨勢，接下來可以思索本行的長期
發展情況，並推敲如果這個趨勢順其自然發展下去，
市場會變成什麼樣子。從這種觀點來擬定藍海策略，
就可以領會現在必須做哪些改變，以開啟新的藍海。

案例：iPod 把音樂還給聽的人

　　例如，蘋果電腦公司觀察到 1990 年代末開始，非
法分享音樂檔案蔚為風潮。Napster、Kazaa 和
LimeWire 等分享音樂檔案的程式，在熟諳網際網路的
音樂迷之間，形成一個非法免費分享音樂的全球網。
到 2003 年，每個月非法交換的音樂檔案已超過 20 億
件。唱片業想盡辦法防止光碟銷售受到蠶食鯨吞，可
是數位音樂非法下載之勢仍有增無減。

　　由於網路科技使任何人都可以免費數位下載音
樂，省下每張平均 19 美元的購買光碟費用，因此邁向
數位音樂之勢非常明確。蘋果電腦的 iPod 等播放數位
音樂的袖珍 MP3 機器風行，更加反映這種趨勢。蘋果
公司根據這種軌跡明確的決定性趨勢，在 2003 年推出

iTunes 網路音樂商店。

iTunes 與 BMG、EMI 集團、新力、環球唱片集團、華納等五大唱片公司達成協議，提供使用簡便而又富有彈性的下載服務，讓消費者能夠根據喜好合法下載歌曲。 iTunes 讓顧客任意瀏覽 20 萬首歌曲，而且每首歌可以試聽 30 秒鐘，下載一首歌只要美金 99 分，也可以用美金 9.99 元下載整張唱片。藉著讓消費者購買個別歌曲，並採取更合理的策略定價，iTunes 破除了顧客感到厭煩的重要因素：雖然他們只喜歡裡面的一、兩首歌，還是必須購買整張唱片。

iTunes 在其他方面也超越免費下載服務，包括提供高級音質，以及可以憑直覺操作、搜尋和瀏覽的功能。要非法下載音樂，必須先搜尋歌曲、唱片或音樂家。要尋找整張唱片，必須知道上面每一首歌的曲名和排列次序，而且很少能在同一個地方下載一張完整的唱片。這些歌曲音質多半很差，因為大多數人為了節省空間，使用低位元速率燒錄光碟。此外，網路上找得到的音樂，大部分反映 16 歲左右年輕人的喜好，因此雖然理論上網路上擁有數十億首歌曲，實際範圍卻很有限。

相形之下，蘋果提供的搜尋和瀏覽功能，被視為這方面的佼佼者。同時，iTunes 的音樂編輯擁有一些通常在唱片行才見得到的特別功能，包括一些 iTunes 的基本功能，像是最佳樂團或最佳情歌、員工最愛音樂、名人曲目清單、以及告示板排行榜。iTunes 也提供最好的音質，因為它用所謂的 AAC 編碼規則編錄音樂，音質遠遠勝過最高速率燒錄的 MP3。

　　iTunes 一推出，顧客蜂湧而至，唱片公司和音樂家都成為贏家。根據與 iTunes 的合同，他們可以拿到數位下載歌曲的 65% 費用，使他們終於能夠從狂熱的數位下載風潮得到財務利益。蘋果電腦也進一步保護唱片公司，設計出一種不會讓已習慣自由自在的數位音樂環境的顧客感到不便，又能夠滿足音樂界需求的版權保護法。iTunes 音樂商店讓顧客最多可以把歌曲燒錄到 iPod 機器和光碟七次，滿足樂迷的需求之餘，又不會造成專業盜版問題。

　　iTunes 音樂商店提供的歌曲已超過 70 萬首，推出第一年就售出超過 7000 萬首歌，用戶平均每週下載 250 萬首歌。尼爾森／網路評列（Nielsen//NetRatings）機構，估計 iTunes 音樂商店在合法音樂下載市場，占

有率已達到七成。蘋果電腦的iTunes在數位音樂界開啓了一個藍海，也使它已經很搶手的iPod更富吸引力。隨著其他網路音樂商店加入競爭，蘋果電腦面對一個挑戰：把目光對準不斷演進的大眾市場，不要陷入只顧衡量競爭對手，或只針對頂級顧客群的小眾市場進行推廣行銷。

　　思科系統公司（Cisco Systems）也藉著思考本行的長期趨勢，創造出新市場空間。它看準一個富有決定性、無法扭轉，而且軌跡明確的趨勢：高速交換資料的需求日增。思科衡量全球現實，斷定資料交換速度太慢和網際網路互不相容，正妨礙這個世界的發展。隨著網際網路用戶大約每一百天就增加一倍，資料交換需求也呈現爆炸性成長。思科看清問題只會愈來愈嚴重。它針對這種需求設計網路路由器、轉換器和其他網路裝置，爲顧客提供突破性價值，在一個彼此搭配嚴謹的聯網環境，提供快速資料交換。因此，思科的眼光不僅關乎價值創新，也促成科技發展。今天網際網路的交通，有超過八成透過思科的產品傳送，它在這個新市場空間的營利也達到60%左右。

> 要根據任何趨勢形成藍海策略，這些趨勢必須對你的行業具有
> 決定性影響、無法扭轉、擁有明確發展軌跡。

　　還有其他許多公司藉著第六種途徑，創造出藍海。例如，CNN 利用全球化浪潮興起，創造出第一種每天 24 小時即時播送的全球新聞網；HBO 有線電視網根據女性日益都會化，在事業上愈來愈成功，同時又拚命想要尋找愛情和晚婚的趨勢，創造出轟動的「慾望城市」（Sex and the City）節目。

　　有哪些趨勢很可能對你的行業造成衝擊、無法扭轉，而且正以明確軌跡演進？這些趨勢會如何衝擊你的行業？面對這種情勢，你可以用什麼方式為顧客開啟前所未有的用途？

構思新市場空間

　　藉著跨越傳統競爭疆界思考一個行業，你可以看出如何採取顛覆傳統作風的策略行動，重建既有市場邊界，並創造藍海。發掘和創造藍海的過程，並不在於預測企業發展趨勢或先發制人，也不是根據經理人的突發奇想或直覺，對匪夷所思的新構想進行盲目嘗

試和發現錯誤。相反的，經理人必須用全新方式，按
照一套結構程序，重建市場現實。經由重建跨越行業
和市場邊界的現有市場因素，他們將能夠脫出紅海的
硬碰硬競爭。圖表 3-5 概要呈現這六種途徑架構。

　　現在我們可以討論如何根據這六種途徑，建立策
略次序。下面將探討重新架構你的策略計畫程序，聚
焦願景，並應用這些構想擬定藍海策略。

圖表 3-5

從直接競爭到創造藍海

	直接競爭		創造藍海
產業	聚焦於產業內的競爭對手	→	探討另類產業
策略群組	聚焦於策略群組內的競爭定位	→	探討產業內的各種策略群組
顧客團體	聚焦於為顧客群加強服務	→	重新定義本行內的顧客群
產品或服務範圍	聚焦於把本行範圍內的產品和服務價值極大化	→	探討互補產品和服務
功能 vs.感情定位	聚焦於改善本行功能與感情定位內的價格表現	→	重新思考本行的功能與感情定位
長期趨勢	聚焦於因應正出現的外在趨勢	→	參與塑造長期的外在趨勢

第4章

聚焦願景，數字擺一邊

策略計畫程序經常被批評為數字遊戲，
企業據此採取漸進式改良的傳統方式，
結果面臨計畫趕不上外部現實變遷的
計畫風險（planning risk）。
用策略草圖畫出價值曲線，
一眼就能看出你的藍海在哪裡。

126

藍海策略

　　你已經知道創造藍海的途徑。下一個問題是如何調整你的策略計畫程序，以專注於願景，並應用這些構想擬定公司的策略草圖，達到藍海策略。這個挑戰非同小可。我們的研究顯示，大部分企業的策略計畫程序，往往將自己侷限在現有市場空間內競爭，因此深陷於紅色海洋難以自拔。

　　不妨看看典型的策略計畫。一開場多半是長篇大論的企業現況和競爭情勢，接著舖陳增加市占率、掌握新市場區隔或削減成本的論點，繼而概述各種目標和方案。這些計畫往往會附上全套預算，以及形形色色的圖表和試算表。整個程序的重點通常是準備一大堆文件，彙整的是組織裡面目標互相衝突，又缺乏溝通的各部門所提供的雜亂資料。在這過程中，經理人用來思考策略的時間，其實大都花在填表格和算算數，反而忽略了思索外部現實，並對如何擺脫競爭發展出一套清晰腹案。要是你想光看這企業放在幾張幻燈片上的策略計畫說明，往往得到不清不楚也無法令人信服的策略。

　　也難怪少有策略計畫真能導向藍海開發，或落實到行動上。企業主管深陷泥淖動彈不得。很多公司基

層員工連公司有什麼策略都不知道。更深入的探究顯
示，大多數計畫根本沒有包含任何策略，只是七拼八
湊的大雜燴。這些個別做法看起來不無道理，可是合
在一起卻無法形成一貫而又明確的方針，讓公司有別
於同行，更遑論把競爭變得無關緊要。你的公司的策
略計畫是否就是這個樣子？

　　這就得談到藍海策略的第二個原則：聚焦願景，
不要只看數字。這個原則極為重要——計畫風險可以
就此減少，企業也不會投注大批時間精力，卻還是陷
入紅海競爭。我們針對現行策略計畫程序發展出另一
套做法，致力於策略草圖的擬定，而非交出一本書面
文件[1]。只要遵循策略草圖，就能夠形成明確策略，讓
組織裡面各部門人員發揮創意，將公司帶向藍海商
機。這些策略也很容易了解和溝通，以有效執行。

策略絕對來自願景

　　在我們的研究和諮商作業中，我們發現擬定策略
草圖不僅能具體呈現公司在當前市場的策略地位，也

能夠協助擬定未來的策略。根據策略草圖建立公司的
策略計畫程序,能讓公司及其經理人專注於願景,免
得受限於數字和術語,整天只顧應付作業細節[2]。

　　正如前面幾章顯示,擬定策略草圖可以發揮三種
功能。第一,它可以非常清晰地描繪出影響產業各個
成員的競爭因素(以及未來的可能因素),顯示該產業
的策略組合。第二,它呈現目前的對手和潛在對手的
策略組合,顯示它們對哪些因素做策略性的投資。第
三,它顯示公司的策略組合,或價值曲線,描繪它如
何投資於競爭因素,以及日後可能如何投資於這些因
素。第二章也談過,擁有高度藍海潛力的策略組合,
有三個互補性質:焦點明確、獨樹一幟和畫龍點睛的
口號。如果公司的策略組合不能明確顯示這些特質,
它的策略很可能模糊不清、沒有差異性,也難以溝
通。執行起來也可能所費不貲。

策略草圖視覺溝通

　　擬定一套策略草圖絕非易事。連要一一列出重要

的競爭因素都沒那麼簡單。你也會看到，最後的清單
通常與當初的草稿大不相同。

要評估你的公司和競爭對手對各種競爭因素做到
何種程度，也構成同樣艱難挑戰。大多數經理人對自
己和競爭對手，在自己的責任範圍內的一、兩個層面
表現如何瞭如指掌，可是很少人能夠看到推動整個產
業的全盤動力。例如，航空公司餐飲經理對自己公司
與同業飲料服務的高下差距非常敏感。但是，這種見
樹不見林的做法，卻使他們很難做通盤考量。在餐飲
經理看來非常重大的差別，對著眼於整體服務的顧客
可能無關緊要。一些經理人也會根據內部利益，定義
競爭因素。例如，資訊長可能對公司的資訊設施搜尋
資料的能量引以為傲，可是大部分顧客對這種特色卻
毫無所覺，因為他們更關心速度和使用便利與否。

過去十年，我們為如何擬定和討論策略草圖，發
展出一套有明確結構的程序，以把公司的策略推向藍
海。一家已有150年歷史的金融服務集團，即採用這
種程序發展出一套策略，並藉此脫離同業競爭。我們
姑且稱之為歐洲金融服務公司（European Financial
Services，EFS）。EFS採用新策略的第一年，營收就

劇增三成。這個程序根據創造藍海的六個途徑擬定，並包含大量視覺刺激以啓發創造力，其中主要步驟有四（請參考圖表4-1）。

步驟一：眼見爲憑

企業擬定策略時經常犯一個錯誤，那就是還沒有解決大家對市場現況的不同意見，就急著討論改變策略。另一個問題是主管經常不願接受改變的必要。他們可能亟於保持現狀，以維護某種既得利益，或是覺得時間最後會證明他們過去的選擇很正確。事實上，

圖表 4-1

視覺化策略的四個步驟

1. 眼見為憑	2. 觀察入微	3. 策略比稿	4. 視覺溝通
● 描繪出自己目前的策略框架，把本身業務與競爭對手比較 ● 看看你的策略有哪些地方需要改變	● 實地探討創造藍色海洋的六個途徑 ● 觀察另類產品和服務的獨特優勢 ● 看看你有哪些因素應該消除、創造或改變	● 根據實地觀察的心得，描繪「未來」策略框架 ● 對擬定的替代策略框架，向顧客、競爭對手的顧客和非顧客尋求意見 ● 根據這些回饋，擬定最好的未來策略	● 在一張紙上把以前和未來的策略組合描繪出來，顯示兩者的明確差別，並分發給員工參考 ● 只支持能讓公司縮小差距，以實驗新策略的計畫和作業行動

> 許多企業主管承認，追求藍海要靠領導人的決心，甚至是眼前出現嚴重危機，變革才可望落實。

在詢問企業主管，他們怎麼會追求藍海並進行改變時，他們通常表示這得靠非常有決心的領導人或嚴重危機來推動。

幸而我們發現，要求企業主管描繪公司策略的價值曲線，能讓他們深刻體會改變的必要。這種做法會使公司企業猛然醒悟有必要檢討現行策略。EFS 就經歷這種過程。它長久以來一直在與定義不佳而又溝通不良的策略掙扎。公司內部出現嚴重分裂，地區分支機構的高級主管覺得總部主管太傲慢，認定「中心負責發號施令，地方只管執行」。這種衝突使 EFS 更難體認本身的策略問題。但是，企業在擬定新策略之前，不能不對自己的當前處境達成共識。

在展開策略程序之初，EFS 召集歐洲、北美、亞洲和澳洲各分支機構的二十多個高級經理人開會，把他們分成兩組。一組負責描繪 EFS 傳統的企業外匯業務與同行相比，公司現行策略組合的價值曲線。另一組負責描繪 EFS 新興的網路外匯業務的價值曲線。他們必須在 90 分鐘內完成這種任務，因為如果 EFS 擁有明確策略，應該很快就可以呈現這些價值。

結果這個程序變成痛苦的經驗。兩個小組都對競

爭因素的組成和項目發生激辯。不同地區，甚至不同
顧客群，競爭因素似乎都不太一樣。例如，歐洲主管
宣稱在它的傳統業務，EFS 必須對風險管理提供諮商
服務，因為它的顧客向來對風險避之唯恐不及。但
是，美國主管認為沒有這種必要，反而強調速度和使
用便利。許多主管獨排眾議，為只有他們自己重視的
構想力爭。網路組就有人辯稱，即時確認交易將能吸
引顧客，可是其他人都認為沒有這種必要。

　　儘管困難重重，這兩個小組最後都達成任務，在
全體大會中提出他們描繪的圖表。圖表 4-2 和 4-3 就是
他們得到的結果。

　　這些圖形清晰地呈現公司策略的缺點。EFS 的傳
統和網路價值曲線，都顯示出焦點十分模糊，反映公
司對這兩種業務都投資於五花八門的因素。更重要的
是，EFS 這兩個價值曲線與同行非常類似。也難怪這
兩個小組都提不出能夠反映公司價值曲線的強大宣傳
口號。

　　這些圖形也強烈反映公司策略存在的矛盾。例
如，網路業務大舉投資設立使用簡便的網站，甚至因
此得獎，可是卻顯然漠視了速度。EFS 網站在同業之

企業外匯業務策略草圖，非網路業務

企業外匯業務策略草圖，網路業務

間速度最慢。這一點可能說明這個備受稱道的網站，為什麼吸引顧客和建立業績的成績這麼差。

最強烈的震撼或許來自 EFS 與同行策略的對比。網路組發現它的勁敵（姑且稱之為晴空公司〔Clearskies〕），擁有焦點明確、富有創意而又簡單明瞭的策略：「按個鍵就搞定」（One-click E-Z FX）。業務飛速成長的晴空公司，正逐漸擺脫紅色海洋。

面對這種直接呈現公司缺點的證據，EFS 主管實在無法再為原來脆弱、陳俗而又溝通不佳的策略辯護。描繪策略草圖，比用數字和言詞做任何辯證，更鮮明呈現改變的必要。這種做法讓高級管理階層產生迫切感受，並重新檢討公司的現行策略。

步驟二：觀察入微

眼見為憑只是第一個步驟。第二步是派遣小組進行實地考察，讓經理人面對無法逃避的現實：顧客為什麼使用或不使用他們的產品或服務。這似乎是個淺顯的步驟，可是我們發現經理人常把這種擬定策略的程序委託他人，只看他們提出的報告，而這些做報告的人往往與他們負責的地區隔了一、兩層。

企業絕不應把眼光委託給別人處理。沒有任何事物能夠取代親眼所見。偉大的藝術家絕不會根據別人的描述甚或照片作畫；他們喜歡親眼觀察自己要畫的東西。偉大的策略家也是如此。彭博（Michael Bloomberg）在出任紐約市長之前，即以企業眼光敏銳著稱，因為他體認提供金融資訊的機構，也必須提供網路分析功能，協助用戶理清資料。但是，他會宣稱任何人只要「看到」交易商使用路透或道瓊德勵財經資訊網路的情況，就會發現這種需要。在此之前，交易商只能用紙筆和計算機做進出決定，很浪費時間金錢，也很容易出錯。

像這種偉大的策略眼光，未必是天縱英明，而是實地了解作業情況，並向現有競爭疆界挑戰的結果[3]。以彭博為例，他獨具慧眼，把焦點從資訊採購者轉移到使用者，也就是發掘交易商和分析師的需求。這種做法讓他看到別人看不到的東西[4]。

第一個應該造訪的對象顯然是顧客。但是，還不只如此。你也應該設法了解非顧客[5]。要是顧客群與使用者不同，你必須像彭博一樣，把觀察範圍擴大到使用者。你不能只跟這些人交談，也必須觀察他們作

聚焦願景，數字擺一邊

業。認清與你的產品配合使用的各種輔助產品和服
務，也可能讓你發掘提供配套服務的機會。例如，出
門看電影的父母，必須找保母照顧孩子。歐洲電影院
業者 Kinepolis 公司即發現，在電影院附設托兒服務，
對生意大有幫助。最後，你也必須探討顧客可能用什
麼樣的方式，代替你的產品或服務所滿足的需求。例
如，開車可以代替搭機，因此航空業也應該探索開車
的獨特優點和特性。

　　EFS 派遣經理人用四週時間進行實地訪問，探討
創造藍海的六種途徑[6]。在這個過程中，每個經理人都
必須訪問十個參與企業外匯作業的人，包括公司失去
的顧客、新顧客，以及 EFS 的競爭對手和另類選擇的
顧客，並觀察他們作業。這些經理人也超越本行的傳
統疆界，探討尚未使用企業外匯服務，不過日後可能
有這種需要的公司，例如亞馬遜網路書店這種作業範
圍遍及全球的網路企業。他們訪問企業外匯服務的終
端使用者，也就是各公司的會計和財務部門。最後，
他們探究本行顧客使用的有關產品和服務，尤其是財
務管理和定價模擬系統。

　　這些經理人在創造策略程序的第一個步驟做成的

　　許多結論，在實地研究的過程被全盤推翻。例如，大
家向來認爲客戶關係經理是業務成敗關鍵，也是 EFS
引以爲傲的資產；但想不到卻成爲公司的弱點。顧客
痛恨浪費時間與客服經理打交道。在這些主顧看來，
設置客服經理，是因爲 EFS 無法履行對顧客的承諾，
所以才讓客服經理出面修補公司與顧客的關係。

　　出乎大家意料之外，顧客最重視的因素之一居然
是快速確認交易。這個要素起先只有一個經理認爲很
重要。EFS 經理人發現，他們客戶的會計人員花很多
時間打電話通知已經撥款，並查核款項是否已經收
到。他們必須對同一筆交易一再打電話給客戶，還得
打電話給外匯供應商，也就是向 EFS 匯兌部門或別的
同業查核，一再浪費時間。

　　EFS 小組奉命重新策劃，而且必須提出新的策
略。每個小組必須根據第三章討論的六個途徑架構，
描繪六個新的價值曲線。每一個新價值曲線，必須呈
現一個能讓公司在市場突出特色的策略。藉著要求每
個小組提出六個策略圖形，我們希望促使這些經理人
想出富有創意的建議，並打破他們的傳統思維限制。

　　這兩個小組也必須爲每一個視覺策略，擬出畫龍

點睛的口號，表現這個策略的根本特質，並激發客戶的興趣。這類建議包括「我辦事你放心」（Leave It to Us）、「讓我更聰明」（Make Me Smarter）和「放心交易」（Transactions in Trust）。兩支團隊競爭激烈，使這個程序趣味十足，生氣洋溢，並把他們推向藍海策略。

步驟三：策略比稿

經過兩週反覆策劃，這兩個小組在我們所謂的視覺策略比稿（visual strategy fair），提出他們擬定的策略草圖。公司高級主管也到場，不過參加的主要是EFS外界有關人員的代表，也就是經理人在實地探訪中碰到的人，包括非客戶、競爭對手的客戶，以及EFS一些要求最嚴格的客戶。在前後兩小時過程中，兩個小組一一說明他們擬定的十二種價值曲線，也就是網路組和非網路組各提出六個。每一種曲線說明時間不得超過十分鐘，因為我們認為任何構想需要花十分鐘以上才能溝通，可能都過於複雜，難以發揮效益。這些圖形都掛在牆上，讓觀眾一目了然。

在十二種策略都解說完畢後，由應邀出席的來賓

擔任評審。他們每人有五張貼紙，用以貼在他們最喜歡的策略旁邊，如果他們覺得特別認同哪一項策略，可以把五張貼紙全部貼上。這種透明和立竿見影的做法，免除了策略計畫程序常見的政治角力。經理人擬定的策略和口號必須富有創意和簡單明瞭，才能打動人心。例如，有一項策略開宗明義就大言不慚地宣稱：「我們的策略巧妙得不只會讓你成為我們的客戶，也會成為我們的忠實愛戴者。」

貼紙都貼上後，我們邀請評審說明他們為何這樣選擇，為研擬策略程序加上另一重回饋效應。評審也要說明為什麼沒有選擇其他價值曲線。

兩支小組在歸納評審共同的好惡時體認到，他們認為非常重要的競爭因素中起碼有三分之一實際上對客戶無關緊要。另有三分之一不是表達不夠清楚，就是在步驟一的程序受到忽略。主管人員顯然有必要重新檢討他們長久以來的觀念。EFS 區隔網路和傳統業務的做法就是一個例子。

他們也發現每個市場的客戶，都擁有一套共同的基本需求，也期望獲得類似服務。只要能滿足這些共同需求，客戶對其他枝節倒不太在乎。但要是這些基

本需求出現問題，地區差異就會造成麻煩。這對宣稱自己責任區擁有獨特性質的很多人來說；還真是聞所未聞。

策略比稿會後，這兩個小組總算能夠完成任務。他們描繪出能夠更真實地呈現現行策略組合的價值曲線，因為這種新圖形不再理會 EFS 向來嚴格區分網路和非網路業務的做法。更重要的是，這些經理人現在有能力針對表面上看不到，可是市場確有實際需要的需求，描繪出明確的未來策略。圖表 4-4 呈現公司現行和未來策略的強烈差異。

正如這個圖形所顯示，EFS 的新策略取消了客服經理，也減少對專戶經理的投資，只有對重量級客戶才保留專戶經理。這些措施使 EFS 作業成本大為降低，因為關係經理和專戶經理是作業成本最高的項目。EFS 未來的策略強調使用簡便、安全、正確和迅速。這些因素將經由電腦化呈現，讓客戶能夠直接輸入資料，而不必發傳真給 EFS。

這種做法也將使公司交易員稍微空閒一點，不必像以前一樣，花很多時間處理文件和改正錯誤。他們今後可以提供更豐富的交易評論，而這是非常重要的

成功因素。EFS 將透過網際網路，向所有客戶自動發送確認交易通知。它也在外匯業首開先例，像聯邦快遞（FedEx）和優比速（UPS）的包裹遞送服務一樣，提供付款追蹤服務。圖表 4-5 總結 EFS 創造價值創新的四項行動，而這正是藍海策略的基石。

　　新的價值曲線顯示了成功策略固有的一些標準。它比以前的策略更有重心；在進行既定投資時更堅決落實計畫。它也斷然脫離本行現有的一窩蜂曲線，並

圖表 4-4

EFS：前後對照

打出強有力的口號：「企業外匯的 FedEx：便捷快速、可靠準時、可以追蹤。」藉著把網路業務和傳統業務歸納成一套強大服務，EFS 把複雜的業務模式大為簡化，使系統性的執行更為容易。

步驟四：視覺溝通

在擬定未來的策略後，下一個步驟就是用很容易讓每個人了解的方式進行溝通，讓大家接受這種策略。EFS 分發一頁圖片，顯示它的新舊策略組合，讓每一個員工認清公司現在的處境，以及它今後必須專

圖表 4-5

消除─減少─提升─創造表格：EFS 案例

消除 關係管理	提升 使用便利 安全 正確 速度 市場評論
減少 專戶經理 公司交易員	創造 確認 追蹤

注於哪些方面，以創造強大的未來。參與發展策略的
高級經理人召集直接部屬開會，向他們一一說明，解
釋有哪些事項必須消除、減少、提升和創造，才有助
於開創藍海。這些人再把信息傳達給直屬員工。簡單
明瞭的策略計畫對員工發揮強大激勵作用，許多人把
策略圖形貼在辦公桌前，隨時提醒自己注意 EFS 新的
優先事項，以及目前必須消除的作業鴻溝。

　　新策略圖形成為所有投資決定的參考標準。只有
能夠協助 EFS 從舊價值曲線邁向新價值曲線的構想，
才獲准進行。例如，地區辦事處要求資訊部門為網址
增加連結功能。以前這種要求不需辯論就會照准，可
是現在資訊部門卻要求它們說明這對協助 EFS 邁向新
策略組合有何幫助。如果地區辦事處無法提出合理解
釋，這個要求就會遭到否決。這種做法使網址功能更
為明晰，避免混亂。同樣的，資訊部門要求以數百萬
美元，在管理系統之上建立一套後勤作業系統時，這
種系統達到新價值曲線的策略需求的能力，就成為計
畫能否通過的主要標準。

聚焦願景，數字擺一邊

公司階層的策略視覺化

策略視覺化也能夠大幅促進業務部門之間,以及它們與企業中心的溝通,有助於將公司從紅海推向藍海。業務部門對彼此提出策略草圖時,它們對公司其他業務的了解也會加深。這個程序也有助於把最佳策略措施推展到別的部門。

案例:三星電子的價值創新計畫

要了解這種程序如何運作,不妨看看韓國三星電子公司在 2000 年的公司會議,如何利用策略草圖。這項會議有七十多名高級主管參加,包括執行長。各部門主管向高級主管和彼此說明他們的策略草圖和執行計畫。討論過程非常激烈,有些部門主管宣稱當前競爭情勢,限制了他們部門形成未來策略的空間。表現不佳的部門覺得,對手推出什麼,他們也必須跟進,否則就無法競爭。但是,成長最快的手機部門提出的策略草圖,證明這種假設並不正確。這個部門不僅有明確價值曲線,也面對最激烈的競爭。

三星電子公司 1998 年就設立價值創新計畫(VIP)

中心，把在重要業務決策使用策略草圖制度化。各業務部門的跨功能核心小組成員聚集 VIP 中心，討論他們的策略計畫。這些討論通常聚焦於策略草圖。

擁有 20 個計畫室的 VIP 中心，利用它發展出來的價值創新知識，協助各部門做產品和服務決定。2003年這個中心完成八十多項策略計畫，並設立十多個 VIP 分支機構，以應付各業務部門的日增需求。例如，2002 年推出的全世界最佳的 40 吋液晶電視，就是一個計畫小組在 VIP 中心花了四個月研發的結果。全世界最暢銷的手機 SGHT-100 也是如此，迄今已售出超過 1000 萬具。

1999 年，三星電子開始舉行一年一度的價值創新公司大會，由所有高級主管主持。會議中說明和展示三星公司最熱門的價值創新計畫，以分享心得，並頒獎給表現最好的案子。三星電子藉此為整個公司建立一套共同語言，注入企業文化和策略模式，把公司業務從紅色海洋推向藍海[7]。

你的業務部門主管是否對公司其他業務缺乏了解？你的各業務部門對策略最佳措施是否溝通不良？表現不

佳的部門是否把情況歸咎於同業競爭？如果這些問題有
任何一項的答案是肯定的，不妨嘗試為各業務部門擬定
策略草圖，並與所有部門互相溝通。

利用先驅者─移動者─安定者（PMS）圖表

策略視覺化也能夠協助負責公司策略的經理人，
預測和計畫公司未來的成長和獲利。擴大這種先驅譬
喻，也能夠為討論目前和未來業務的成長潛力提供一
個有用的途徑。

公司的先驅者（pioneers）是提供前所未有的價值
的業務；可說是藍海策略，也是製造獲利型成長的最
強大來源。這些業務擁有大批忠實顧客群。它們在策
略草圖上的價值曲線有別於同行。另一端是安定者
（settlers），也就是價值曲線與產業基本形態一致的業
務。這些是有樣學樣的業務，通常對公司未來的成長
沒有什麼貢獻，而且正深陷於紅海競爭。

移動者（migrators）的潛力存在兩者之間。這些
業務藉著以更低的成本向顧客提供更多利益，擴大本
行的價值曲線，可是未能改變其基本形態。這些業務
為產品提供更好的價值，可是沒有創新價值。它們的

> 我們舉出的創造藍海的公司，都是本行的先驅。它們未必發展出新的科技，只是把它們向顧客提供的價值推向新的疆界。

策略處於紅海和藍海之間。

公司管理團隊如想追求獲利型成長，不妨在先驅者—移動者—安定者（PMS）圖表上，描繪公司目前和未來預計的業務。為了做這種演練，我們把安定者定義為抄襲跟風的業務、移動者是產品優於市面上大多數競爭對手的業務，先驅者是唯一擁有大批忠實顧客的業務。

這家公司的安定者目前可能還能夠賺錢，使公司能夠獲利，可是整個企業極可能已陷入競爭標竿學習（competitive benchmarking）、模仿和激烈削價競爭的陷阱。

如果現行和預計業務包含許多移動者，公司仍可望合理成長，可是沒有充分利用成長潛力。這種公司如果碰到力行價值創新的對手，可能會被邊緣化。我們的經驗顯示，一個行業的安定者愈多，從事價值創新以及開闢新市場空間，以創造藍海的機會就愈大。

這種演練不只能協助經理人了解當前業務情況，也可以瞻望未來，因此特別有價值。營收、獲利、市占率、顧客的滿意度，都是衡量公司當前處境的標準。但是，與傳統策略思維相反的是，這些標準並不能指出未來的發展方向，因為市場環境日新月異。今

天的市占率只反映公司歷來的表現成果。不妨回想
CNN 進入美國新聞媒體市場時，造成的策略逆轉和市
占率劇變。向來把持市占率的 ABC 、 CBS 和 NBC 這
三大電視網，面對這個新對手，幾乎毫無招架之力。

因此，企業執行長應該把價值和創新，做為管理
業務事項的重要衡量標準。他們必須創新，因為如果
不銳意創新，公司就會深陷於一味與競爭對手別苗頭
的泥淖。他們必須注重價值，因為創新構想必須能讓
顧客願意花錢購買，才能為公司賺錢。

高級主管的任務，顯然是讓整個組織把未來的業
務重心事項轉向先驅者。這也是邁向獲利型成長的途
徑。圖表 4-6 顯示的 PMS 圖形，呈現一家公司的業務
事項散布情況。公司的十二種業務項目用十二個黑點
代表，並顯示公司目前的業務重心絕大多數為安定
者，可是正轉移到移動者和先驅者占多數的更強大勢
態。

但是，高級主管在把業務推向先驅者之際，必須
切記，雖然安定者成長潛力有限，可是它們往往是公
司目前的搖錢樹。在另一方面，先驅者雖然擁有最大
的成長潛力，可是在開始成長和擴展之際經常很花

【如果現行業務和預計業務絕大多數是安定者，公司未來的成長
曲線就很低，而且常深陷於紅海競爭，必須推動價值創新。】

圖表 4-6

考驗業務事項的成長潛力

錢。高級主管在這個階段，必須隨時根據情況演變，
設法使有利可圖的成長和資金流通保持明智平衡。

克服策略計畫的限制

經理人經常明裡暗裡對現行策略計畫作業（也就
是策略核心活動）表示不滿。他們覺得策略計畫程序
應該是建立集體智慧，而不是從上到下或從下到上的

作為。他們認為策劃程序應該著重交談溝通，而不是全靠文件推動；應該著重建立願景，而不是孜孜於數字計算。策略應該富有創意，而不全由分析推動；應該更富激勵作用，讓員工自動自發地積極參與，而不是靠討價還價，形成由磋商達成的工作目標。但是，經理人雖然渴望改變，卻缺乏可靠程序來取代現行策略計畫作業，雖然策略計畫是管理階層最根本的職責，因為幾乎全世界每一家公司都得進行這種程序，而且經常每年花幾個月時間辛苦地擬定計畫。

根據一個圖表建立這種程序，能夠消除經理人對現行策略計畫程序的許多不滿，並獲致更好的結果。亞里斯多德也指出：「少了影像，就不可能思考。」

當然，描繪策略草圖和 PMS 圖表，絕非策略計畫程序的全部。到某個階段，也必須擬定和討論數字及文件。但是，我們相信如果經理人從如何擺脫競爭的願景著手，其他細節也會按部就班地呈現。本章提出的策略視覺化，讓策略計畫程序具體鮮活的呈現，這會大為改善你創造藍海的機會。

如何儘量擴大你正創造的藍海？下面一章就來討論這個問題。

第5章

超越現有需求

市場區隔的做法已逐漸過時。
藍海策略專注於劃分顧客的差異性,
努力在非顧客之間建立強大的共同點,
儘量擴大新需求,將市場空間推到極限,
如此一來就能降低規模風險(scale risk)。

沒有哪家公司希望冒險脫離紅海，卻發現自己陷入一個小水窪。這個問題在於，要怎麼樣才能把你正創造的藍海，擴展到極大限度？這就得談到藍海策略的第三個原則：超越現有需求。這是達到價值創新的重要關鍵。藉著爲新產品累積最大的需求，可以減少創造新市場所牽涉的規模風險。

要做到這點，公司必須向兩種傳統策略措施挑戰。一種是專注於現有顧客；另一種是追求更細微的區隔化（segmentation），以滿足顧客差異性。爲了擴大市占率，企業通常試圖拉住和擴大現有顧客群。這種情況經常導致更瑣碎的分類，以及對產品做更細微調整，以迎合顧客的喜好。競爭愈激烈，針對顧客的不同需求推出的產品種類也愈多。企業競相藉著更精細的產品分類滿足顧客的喜好，結果開發出來的目標市場往往規模太小，反而掉入另一個陷阱。

要把企業創造的藍海擴展到極限，必須改變做法——不能只想到現有顧客，眼光要放遠，探索非顧客群。企業不能再專注於顧客的差異性，而是要奠基於顧客價值的強大共通性（commonality），這樣才能夠超越現有需求，開發出前所未有的廣大新顧客群。

【企業不能再專注於顧客的差異性，而是要奠基於顧客價值的強大共通性（commonality），才能開發出新顧客群。】

案例：菜鳥也會用的高爾夫球桿

　　卡拉威高爾夫球公司（Callaway Golf）就是藉著探討非顧客，為產品蘊蓄新的需求。在美國高爾夫球業忙著爭奪現有顧客群之時，卡拉威卻探索為什麼運動迷和鄉村俱樂部會員不打高爾夫球，並從這個角度創造出由新需求形成的藍海。在探索過程中，它發現龐大的非顧客有個重要共通性：他們覺得要擊中小小的高爾夫球很難。高爾夫球桿桿頭很小，打球時眼睛和手必須高度協調，必須花很多時間才能掌握要領，精神也必須非常集中。因此，新手打球很難享受箇中樂趣，要練好球技也太花時間。

　　體會這點讓卡拉威對如何為產品蘊蓄新的需求，得到新的靈感，並據此推出大百發球桿（Big Bertha）。這種球桿桿頭較大，要擊中高爾夫球比較容易。大百發球桿不僅把許多不打球的人變成顧客，連原本就打高爾夫球的人也趨之若鶩，使產品供不應求。原來除了職業選手之外，很多本來就打球的人，都對無法掌握隨時都能打中球的訣竅，以致於球技難以進步感到苦惱。大百發球桿的大桿頭使這種困難大為消減。

　　但是，有趣的是，原來的顧客與非顧客不同，他們默默地忍受打球的困難。雖然許多球友很痛恨這點，可是他們認為打高爾夫球本來就是這個樣子。他們不向高爾夫球桿廠商抱怨，卻認為自己的球技有待改進。卡拉威藉著探討非顧客群，並把焦點放在他們的共通性，而不是注重他們的各種差異性，看出如何積聚新的需求，並為廣大的顧客和非顧客提供價值躍進。

　　你的作業焦點放在哪裡？你是針對現有顧客群爭取更大的占有率？還是致力於把非顧客群變成新的需求？你是尋求顧客重視的價值的重要共通性，還是拚命針對顧客的不同需求，推出更精細和類別更瑣碎的產品？要超越現有需求，必須把非顧客群置於既有顧客群之前；把顧客的共同需求置於他們的差異性之上；把統合產品類別置於追求更精細分類之上。

個別擊破三種非顧客

雖然非顧客的範圍很廣，而且往往蘊含龐大的藍海商機，然而少有企業獨具慧眼，能夠看出非顧客在何處，並著手開發他們的需求。要將這種潛在的龐大需求，扭轉成全新顧客萌發的實際需求，企業必須更深入了解非顧客的世界。

根據你的市場與非顧客的相對距離，可用三個層次區分這些有望轉變成顧客的非顧客，如圖表 5-1 所顯示。第一層非顧客最接近你的市場。他們位於市場邊緣，出於必要才對某個產業進行採購，這些人買的數量極少而且心理上不認為自己是該產業的顧客。只要有其他機會出現，他們就會琵琶別抱，棄你而去。但是，如果能夠提供價值躍進，這些人不僅會留下來，採購頻率也會大為增加，龐大的潛在需求也隨之開啟了。

第二層非顧客拒絕使用你的產業所提供的產品。他們認為，你的產業提供的產品只是能滿足需求的一種選擇，而且已被他們排除的選項。以卡拉威公司的例子來說，這些人主要是運動迷，尤其是那些在鄉村

圖表 5-1

三個層次的非顧客

第一層：「即將成為」非顧客，位於你的市場邊緣，隨時準備離去。
第二層：「態度抗拒」的非顧客，刻意不選擇你的市場。
第三層：「未經開發」的非顧客，位於遠離你的市場以外的其他市場。

俱樂部打網球的人。他們可以選擇打高爾夫球，可是卻刻意排除這種選擇。

第三層非顧客距離你的市場最遠。他們從來沒有想到把你的市場提供的產品視為一種選擇。藉著挖掘這些非顧客與既有顧客的重要共通性，企業可以了解如何把他們拉進新的市場。

現在就讓我們一一探討這三個不同層次的非顧客，並了解如何吸引他們，擴大你的藍海。

【即將成為非顧客的人如果增加，市場就會陷於沈滯並難有成長。但是，第一層非顧客蘊含的卻是正待開發的龐大需求。】

第一層非顧客

這些隨時準備掉頭而去的非顧客（soon-to-be non-customer），始終在尋找更好的產品，然而為了需求不得不勉強使用現有市場產品。只要發現更好的替代品，他們會立即轉向。就這點意義來說，他們位於市場邊緣。這種即將成為非顧客的人如果增加，市場就會陷於沈滯並難有成長。但是，第一層非顧客蘊含的卻是正待開發的龐大需求。

案例：Pret A Manger 的三明治革命

1998 年成立的英國速食連鎖店 Pret A Manger（法文意為「現成食品」，簡稱為 Pret），就是藉著開發第一層非顧客的龐大潛在需求，擴大藍海。在 Pret 出現之前，歐洲各地的都會專業人士大多上餐廳解決午餐。設有座位的餐廳提供精美餐點和優雅環境。但是，第一層非顧客的人數很多，而且不斷增加。健康飲食愈來愈受重視，使大家覺得上餐廳不是最好的選擇。專業人士也未必常有時間坐下來悠閒進餐，而且有些餐廳太貴，不適合天天來報到。因此，愈來愈多

專業人士隨便抓些東西填飽肚子，或是從家裡帶便當到辦公室吃，甚至乾脆不吃午餐。

這些第一層非顧客顯然都在尋找更好的解決辦法。他們雖然有許多不同之處，卻擁有三個重要的共通性：他們希望迅速打發午餐；希望享有新鮮而又健康的餐點；希望價格合理。

了解這些第一層非顧客群的共通性，就可以體會Pret何以能夠發掘並刺激尚未開發的需求。Pret的辦法很簡單。它的新鮮三明治每天現作，全部使用上好材料，品質媲美餐廳但供應速度比餐廳快得多，甚至快過一般速食店。這些服務的背後，還有清爽的環境，合理價格作爲支撐。

走進Pret速食店，就像進入明亮的裝飾派藝術工作坊。沿牆陳列冷藏架乾乾淨淨，上面擺了三十多種三明治（平均售價爲四至六美元），全都是用當天上午送到的新鮮食材，在店裡當場現作。顧客也可以選擇其他現作的產品，像是沙拉、優格、百匯冰品、綜合果汁和壽司。每一家連鎖店都有自己的廚房，現成食品都來自優質製造商。連紐約分店的法國麵包都由巴黎供應，可頌麵包則來自比利時，丹麥麵包由丹麥提

供。店裡絕不賣隔夜食品，當天剩下的食物都送給遊民收容所。

除了提供合乎健康的新鮮三明治和其他新鮮食品，Pret 也縮短顧客的採購程序。在傳統速食店，顧客必須排隊、訂購、付帳、等待、領餐、坐下用餐。Pret 卻把這種程序簡化成瀏覽餐點、揀選、付帳、離開，使時間大為縮短。顧客從進入餐廳排隊購買到離開，平均只要 90 秒，因為 Pret 用高度標準化流程，大量製作現成的三明治和其他產品，不接受顧客特別要求訂製，也不提供其他服務。顧客就像在超市一樣，一切自助。

正當設有座位的餐廳業務停滯不前，Pret 卻把即將成為非顧客的人，大批大批轉變成核心顧客，使業務蒸蒸日上。這些顧客到 Pret 購買餐點的次數，比原來上餐廳的次數更頻繁。除此之外，就像卡拉威的情況一樣，原來習慣到餐廳吃午飯的人，現在也紛紛湧進 Pret。雖然餐廳提供的午餐還不錯，可是第一層非顧客群的三個重要共通性也引發這些人的迴響，只不過他們與那些即將成為非顧客的人不同，他們沒有檢視自己的午餐習慣。這種情況顯示一個要點：非顧客

通常比那些安於現狀的顧客，更能為藍海的開啓和擴大提供重要訊息。

Pret 在英國的 130 家連鎖店，現在一年售出超過 2500 萬個三明治，而且它最近又在紐約和香港開設分店。 2002 年公司營業額超過 1 億 6000 萬美元，而其成長潛力使麥當勞公司也買下它 33% 的股權。

在你那一行，讓第一層非顧客群隨時準備掉頭而去的主要因素是什麼？探索他們的反應的共通性，並把注意力對準這些共通性，而不是他們的差異性。這將使你能夠領悟如何消除顧客的不同類別，並引發尚待開啓的龐大潛在需求。

第二層非顧客

這些是「態度抗拒」的非顧客（refusing noncustomer）。他們不採用或負擔不起當前市場提供的產品，因為他們不想接受這些產品，或無法負擔這些產品。他們要不是用其他方式滿足需求，要不就是根本不理會這些需求。但是，這些採取拒絕態度的非顧客，卻蘊含有待開發的龐大需求。

案例：另類戶外廣告

且看推銷戶外廣告空間的法國德高公司
（JCDecaux），如何把採取抗拒態度的非顧客拉進它的
市場。在這家公司1964年創造出「街頭家具」（street
furniture）戶外廣告概念之前，戶外廣告業主要包括廣
告牌和交通工具廣告。廣告牌通常架設在汽車飛馳而
過的市郊公路旁，而巴士和計程車上的交通工具廣
告，也大多在路人眼前一閃而逝。

許多公司認為戶外廣告稍縱即逝，因此不太喜歡
這種廣告媒體。民眾只有在經過的剎那，才會看到戶
外廣告，而且重複接觸這些廣告的比率很低。對知名
度不高的公司，這種宣傳媒體的效用更差，因為它們
無法傳達新品牌和新產品所需的完整介紹。因此，許
多公司拒絕使用戶外廣告，認為它們增加價值的效益
很差，讓人無法接受，或是費用高得難以負擔。

德高公司深入探究態度抗拒的非顧客擁有的重要
共通性，並看出這一行不受歡迎和業務受限的關鍵，
是在市區缺乏固定宣傳點。尋求解決的過程中，德高
發現市政府可以提供市區定點如巴士站。在這些地
方，民眾通常會駐留幾分鐘，有時間看廣告並受到影

響。德高推論，它只要掌握這些地點，就可以把第二層非顧客變成顧客。

根據這種體會，它擬出為市政府免費提供街頭家具的構想，包括免費維修保養。德高公司推想，出售廣告空間的營收，若是超過提供和保養這些家具的成本，並創造誘人的獲利率，公司就可以步入有利可圖的強大成長。納入廣告的街頭家具就此應運而生。

德高利用這種方式，為第二層非顧客、市政府和本身創造出價值突破。這項策略使市政府免除了傳統上為市區家具負擔的成本，而為了交換免費產品和服務，它們授予德高在散布市區各處的街頭家具展示廣告的專利權。由於能夠在市中心做廣告，德高使這些廣告的平均展示時間大為增加，也提高反覆曝光的能力。展示時間增加，使廣告客戶能夠呈現更豐富的廣告內容和更複雜的訊息。此外，由於德高也負責維護市區家具，因此能協助廣告商在兩、三天內推出新廣告，不像製作傳統廣告牌需要十五天之久。

面對德高提供的獨特價值，原來採取拒絕態度的顧客成群湧至。作為一種廣告媒體，街頭家具成為整個展示廣告業成長最快的市場。例如，1995 年到 2000

年，全球用於街頭家具的開支成長六成。相形之下，
整個展示廣告業只成長二成。

德高藉著與市政府簽訂 8 至 25 年的合同，拿下街
頭家具展示廣告的長期專利。在初步投資後，接下來
幾年唯一的開支，就是維修和更新家具。提供街頭家
具的業務獲利高達 40%，相形之下，廣告牌的獲利為
14%，交通工具廣告的獲利為 18%。專利合同和高獲
利，為公司的長期營收和獲利創造了穩定來源。這種
經營模式不只為德高創造了價值躍進，也為客戶創造
價值躍進。

今天，德高已成為全球最大的街頭家具廣告空間
供應商，在 33 個國家擁有 28 萬 3000 個廣告板。此
外，藉著探討第二層非顧客的需求，了解促使它們拒
絕傳統戶外廣告的重要共通性，並針對這些問題提出
解決辦法，德高也增加了這一行原有顧客對戶外廣告
的需求。在此之前，原有客戶只考慮它們可以得到哪
些廣告牌地點或巴士路線、宣傳檔期和必要花費。它
們認定這是僅有的選擇，並在這個範圍內運作。最後
還是得靠非顧客，讓大家體認這一行及原有客戶認定
的想法，其實大可加以挑戰和改造，以為大家創造價

值躍進。

第二層非顧客之所以拒絕使用你那一行提供的產品或服務，關鍵因素何在？探討他們的反應的共通性。把注意力放在這些共通性，不要只關心他們的差異性。這將使你能夠領悟如何引發尚待開啟的潛在龐大需求。

第三層非顧客

第三層非顧客距離產業的現有顧客最遠。通常少有業者曾針對這些「未經開發」的非顧客（unexplored noncustomer）下功夫，也從未想到他們可能是潛在顧客，因為他們的需求和有關的商機，向來被視為屬於其他市場。

如果知道自己白白錯過了多少第三層非顧客，許多公司可能為之扼腕。例如，牙齒潔白向來被視為牙醫的專屬服務領域，與清潔牙齒的消費者產品廠商無關。因此，這些廠商從來不過問這些非顧客的需求。一直到最近，它們才發現這方面存在早就在等待它們開發的龐大潛在需求。它們也發現自己有能力提供安全、高品質、低成本的牙齒潔白方法，市場也呈現爆

炸性成長。

　　這種潛在商機適用於大部分行業。就以美國的國防航空工業爲例。有人宣稱，美國長期軍力的致命傷在於無法控制飛機成本[1]。五角大廈 1993 年的研究報告斷定，飛機造價飛漲和預算減少，使軍方缺乏確實可行的計畫，以更換日益老化的戰鬥機隊[2]。軍事領袖擔心，如果不能設法用不同方式製造飛機，美國將沒有足夠飛機捍衛國家利益。

案例：挑戰國防傳統的戰鬥機

　　美國海軍、陸戰隊和空軍對所謂的理想戰鬥機，向來看法不同，因此每個軍種各自設計和製造自己的飛機。海軍強調飛機必須堅固耐用，能通過在航艦甲板起降的考驗。陸戰隊需要能夠在短短的跑道起飛和降落的快速應變飛機。空軍想要速度最快、最新式的飛機。

　　不同軍種的這些不同需求，向來被視爲理所當然，國防航空工業也被視爲擁有三個不同的部門。聯合攻擊戰鬥機（Joint Strike Fighter，JSF）卻挑戰這種企業傳統[3]。這項計畫把上述三個部門視爲未經開發的

非顧客,並打算加以統合,納入一個由性能更高強、
成本更低廉的戰鬥機形成的新市場。它不根據不同軍
種要求的不同規格和特性,對產品加以分類和分別開
發,卻質疑這些差異,並探索這三個原來不相聞問的
軍種所要求的飛機的重要共通性。

這種探索程序發現這三個軍種的飛機,擁有兩種
基本上相同的最花錢組件:航空電子設備(軟體)和
引擎。共同生產和使用這些組件,可以使製造成本大
為降低。此外,雖然每個軍種都提出一長串極為獨特
的規格,可是所有軍種的大部分飛機執行的任務大致
相同。

JSF小組進一步研究這些獨特規格,有多少項目對
各軍種的採購決定具有決定性影響。有趣的是,海軍
的決策關鍵與各種廣泛因素無關,卻可以歸納成兩個
最基本要求:堅固耐用和容易維修保養。由於飛機部
署在航艦上,距最近的維修設施幾千哩,海軍希望擁
有堅固耐用而又容易維修的戰鬥機,以應付在航艦甲
板降落的強大撞擊力,以及經常受到含鹽分空氣侵蝕
的影響。由於擔心陸戰隊和空軍的規格會損害這兩種
最基本要求,海軍堅持自己訂造飛機。

陸戰隊也有很多需求與另外兩個軍種不同，可是真正使它拒絕共同採購飛機的決定性因素只有兩個：短程起飛和垂直降落能力（short takeoff vertical landing，STOVL），以及強大的反制能力。為了支援深入敵境和偏遠地區的部隊，陸戰隊的飛機必須擁有噴射戰鬥機的性能，可是又能夠像直昇機一樣在上空停留盤旋。由於陸戰隊經常必須在低空進行緊急應變任務，飛機必須配備各種反制裝備，包括照明彈、電子干擾裝置等等，以對付敵方防空飛彈，因為他們的飛機飛行高度較低，容易成為攻擊目標。

　　空軍的任務是在全球各地維持空中優勢，因此必須擁有速度最快和操作最靈活的飛機，也就是性能必須優於各種現在和未來的敵機。這些飛機也必須擁有隱形科技，也就是採用能夠吸收雷達信號的材料和結構，使雷達不易發覺追蹤，便於逃避敵方飛彈和飛機。另外兩個軍種的飛機缺乏這些要素，因此空軍絕不考慮採用它們的飛機。

　　對未經探索的非顧客群獲得的這些發現，使 JSF 成為可行計畫，以為這三個軍種製造一種結合這些重要因素，並減少或消除其他一切的飛機。消除或減少

藍海策略

的是每個軍種視爲理所當然，可是實際價值不大，或
只是爲了擊敗競爭對手而設計過度的因素。正如圖表
5-2 所顯示，陸戰隊、海軍和空軍的飛機，有大約 20
種競爭因素受到消除或減少。

　　藉著用這種方式結合這些重要因素，並減少或消

圖表 5-2

JSF 出現後的國防航空工業重要競爭因素

JSF 消除或減少了灰格子以外的現有競爭因素

空軍	海軍	陸戰隊	
輕巧	雙引擎	STOVL	設計客製化
統合航空電子設備	雙座	輕巧	
隱形科技	大機翼	短機翼	
超級巡航引擎	堅固耐用	反制能力	
長程飛行	長程飛行		
靈巧	容易維修		
空對空武器	大／有彈性的載運武器能量	大／有彈性的載運武器能量	武器客製化
固定內部武器載運量	空對空和空對地武器	空對地武器	
		電子戰	
能夠執行各種任務的飛機	能夠執行各種任務的飛機	能夠執行各種任務的飛機	任務客製化

除其他一切，JSF計畫製造出一種能夠滿足這三個軍種的需求的飛機，使製造成本和每架飛機的造價大爲降低，同時也讓這三個軍種的飛機性能出現價值大躍進。JSF保證使每架飛機的造價，從目前的1億9000萬美元，降到3300萬美元。同時，JFS（現稱爲F-35）的性能保證優於這三個軍種目前最優秀的飛機：空軍的F-22、陸戰隊的AV-8B獵鷹噴射機、海軍的F-18。圖表5-3顯示JSF如何藉著以更低的成本提供更優秀性能，創造卓越價值。

這個策略草圖顯示，JSF大致維持空軍飛機的獨特優點（靈敏和隱形），並包含空軍原來認定它無法擁有的強大附加性能：維修保養更簡便、更堅固耐用、反制能力更強大、短程起飛和垂直降落能力更高強。後者是海軍和陸戰隊非常重視的能力。藉著專注於這些重要的決定性因素，並消除或減少三個軍種針對本身需求所要求的所有其他因素（也就是設計、武器和任務特性），JSF計畫得以用更低的成本提供更卓越的戰鬥機。

JSF藉著超越這三個軍種現有的顧客群，匯集原來由三者劃分的需求。2001年秋天，洛克希德—馬丁公

圖表 5-3

聯合攻擊戰鬥機（F-35）與空軍 F-22 的比較

司（Lockheed Martin）打敗波音公司，獲得總值 2000 億美元的 JSF 合同。這是歷來最大一筆軍事合同。第一架 JSF F-35 預定 2010 年交貨。到目前為止，五角大廈仍相信這項計畫會圓滿成功，不僅因為 JSF F-35 的策略輪廓達到能締造前所未有的價值，同樣重要的是，三個軍種都非常支持這項計畫[4]。

將藍海水域無限擴張

　　應該在何時針對哪一層非顧客開拓商機，並沒有嚴格法則。由於特定層次的非顧客能夠開啓的藍海機會的大小，因產業和時機而異，你應該專注於目前能夠提供最大收穫的層次。但是，你也應該探索這三層非顧客是否有共通性。這種做法可以擴大你能夠開啓的潛在需求。一旦出現這種機會，你不能只專注於某個層次的非顧客，而應探索所有層次的非顧客。這方面的法則就是「追求最大的水域」。

　　許多公司擬定策略時，自然而然地把保住現有顧客視爲第一要務，並尋求進一步區隔化。面對競爭壓力時，這種情況更爲明顯。這對建立聚焦的競爭優勢，並在現有市場增加市占率，或許確有效用。但是，這絕不可能開發出能夠擴大市場，並創造新需求的藍海。我們絕不是否定聚焦於現有顧客或區隔，而是主張應挑戰這些被視爲理所當然的現有策略方針。要把藍海擴展到極大限度，在研擬未來的策略時，應該先超越現有需求，設法吸引非顧客，並掌握反區隔化（desegmentation）的機會。

　　如果缺乏這種機會，你可以進一步利用現有顧客群彼此的差異性。然而，採取這種策略措施時，你必須明白，這可能造成市場空間更小。你也應該知道，一旦你的競爭對手採取價值創新的措施，並成功吸引到大批非顧客之後，你原有的顧客也可能掉頭而去，因為他們也許為了獲得你的對手提供的價值躍進，寧願捨棄自己的差異性。

　　把自己創造的藍海水域擴展到極限還不夠。你還必需從中獲利，才能創造持久的雙贏結果。下一章會說明如何建立切實可行的經營模式，以便生產藍海產品並保持獲利成長。

第6章

策略次序要正確

本章釐清策略的優先次序，
將買方效益擺第一，
從策略定價來擬定目標成本，
最後思考如何破除策略推行的阻力，
解決經營模式風險（business model risk）。

前面探討了發掘潛在藍海的途徑，並建構出一套
策略草圖，清晰呈現未來的藍海策略；你也探索過如
何將構想中的顧客盡可能擴增到最多。下一步挑戰就
是建立嚴謹的經營模式，從藍海構想中穩定獲利。這
就得談到藍海策略的第四個原則：策略次序要正確。

　　本章會討論策略次序該怎麼排列，才能充實並確
立藍海構想，以穩固其商業上的可行性。只要了解正
確的策略次序，以及如何根據這次序其中的關鍵準則
來評估藍海構想，經營模式就可大幅減少風險。

買方效益擺第一

　　正如圖表 6-1 所顯示，企業必須根據買方效益、售
價、成本和推行情況，依序建立藍海策略。

　　程序的第一步是確定產品的買方效益（buyer utili-
ty）。你的產品能否開創前所未有的效益？能否說服大
眾，讓他們覺得非買不可？要是不能，就全無藍海潛
力；那麼只有兩種選擇 ── 一是擱置這個構想，否則
就要重新思考，直到你有了肯定的答案。

【 正確策略程序的第一步，就是確定買方效益。你有沒有讓顧客
  自覺非買不可的理由？ 】

圖表 6-1

藍海策略的次序

要是產品的確具備獨特效益，就可以進入第二個
步驟：設定適當的策略定價（strategic price）。切記，

企業創造需求可不能全靠定價。這方面的關鍵在於，你的產品定價，能否吸引最大多數的目標顧客，使他們對你的產品發揮強大購買力？如果答案是否定的，就表示他們買不起你的產品。這種產品也不可能風靡市場。這兩個步驟是強調公司經營模式的營收層面，確保最終顧客價值（net buyer value）能發生價值躍進。所謂最終顧客價值，就是產品對顧客的實際效益，減去他們支付的費用。

為了確保獲利層面，就得談到第三個元素：成本（cost）。你能用目標成本製造產品，達到可觀獲利嗎？策略定價（大多數目標顧客負擔得起的價格）能讓你獲利嗎？成本絕不能牽動售價，也不能因為成本過高，策略定價賺不到錢，就犧牲產品效益。如果無法達到目標成本，只有兩個選擇：放棄這個構想，因為這種藍海無法獲利；或者調整經營模式，以達到目標成本。公司的經營模式的成本層面，確保業務能夠健全的獲利（也就是產品價格減掉生產成本），為公司創造價值躍進。結合效益、策略定價和目標成本，才能使企業達到價值創新，為顧客和公司創造價值躍進。

最後一個步驟是解決推行阻力。推行構想的過程

中，會遭遇哪些障礙？你是否一開始就針對這些問題擬定對策？只有一開始就設法解決推行阻力，確保你的構想能夠順利落實，擬定藍海策略的程序才算完成。所謂的阻力或障礙包括，零售商或企業夥伴可能抗拒你的構想。由於藍海策略全盤脫離紅海的競爭思維，一開始就解決推行阻力也成了關鍵。

　　如何評估你的藍海策略是否通過這四個循序漸進的步驟？如何修改你的構想，以通過每一道考驗？現在就來討論這些問題。首先談的是效益。

價值創新不等於科技創新

　　評估產品的買方效益，其必要性似乎不言而喻。但是，許多公司卻未能創造出產品的獨到價值，因為他們過度堅持產品或服務必須夠新穎，這種情形在新科技相關領域更為明顯。

　　以飛利浦的 CD-I 互動光碟機為例。這種產品雖是科技結晶，消費者卻不覺得非買不可。飛利浦稱之為「想像機器」的 CD-I，結合了影視功能、音響系統、

遊戲機和教學工具。但是，由於功能太多，讓人搞不
清楚如何使用。此外，它也缺少吸引人的應用軟體。
因此，雖然 CD-I 理論上幾乎無所不能，實際上無用武
之地。顧客不覺得非它不可，銷路一直無法打開。

　　負責 CD-I 計畫的經理人，與摩托羅拉的「銥」
（Iridium）行動電話計畫負責人陷入同樣迷思：他們對
新科技的花樣興奮不已，認定尖端科技一定會帶來實
用性。但是，研究發現事實不然。

　　其他最優秀和最聰明的企業，也不時像飛利浦和
摩托羅拉一樣，陷入同樣的科技陷阱。不論得到多少
大獎，一項新科技要是不能讓顧客的生活更簡單便
利、更有效率、風險更小，或是更炫更有趣，就不可
能吸引廣大群眾。不妨想想星巴克、太陽馬戲團、家
居貨棧、西南航空、黃尾袋鼠葡萄酒或羅夫・羅蘭的
例子：價值創新未必是科技創新。

　　就如第二章所指出，要避開這種陷阱，一開始應
該先擬定具備明確焦點、獨樹一幟的特質、畫龍點睛
的標語等初步檢驗的策略組合。一旦做到這點，就可
以開始評估新產品或服務會在何處、以何種方式改變
顧客的生活。用這種不同觀點檢驗產品的效益非常重

【 新科技要是不能讓顧客的生活更簡便，或是更炫更有趣，就不可能吸引廣大群衆。價值創新未必是科技創新。 】

要，因爲這表示開發產品或服務的方式，不再局限於技術的可行性，而是更聚焦於開創買方效益。

買方效益圖可以協助經理人從正確觀點來看這個問題（參考圖表6-2）。它列出企業利用哪些因素才能爲顧客提供獨特效益，以及顧客可能對產品或服務產生的經驗感受。經理人可以藉著圖表，辨認產品或服務可能填補的整體效益空間。現在就讓我們來仔細探討這個圖表。

圖表6-2

買方效益圖

買方經驗週期的六個階段

	1. 採購	2. 交貨	3. 使用	4. 輔助	5. 維護	6. 拋棄
顧客生產力						
簡單						
便利						
風險						
樂趣和形象						
環保						

（左側縱軸標示：六種效益槓桿）

透視買方經驗

　　買方（也就是顧客）感受的經驗通常有個週期，
而且能夠明確分成六個階段，大致從採購到拋棄循序
漸進，每個階段都涵蓋形形色色的特定經驗。例如，
採購階段可能包括在 eBay 網站或在家居貨棧的貨架瀏
覽商品。如圖表 6-3 所示，經理人可以在每個階段中提
出一連串問題，以便衡量買方經驗好壞。

六種效益槓桿

　　切入每一階段的買方經驗，就是效益槓桿（utility
lever），也是企業為顧客開發出獨到效益的方法。大多
數槓桿都很明確──簡單、有趣、形象、合乎環保；
這些因素的重要性毋庸贅言。產品必須能減少顧客的
財務、體力負擔或信用風險，也是理所當然。產品或
服務只要容易取得、使用或拋棄回收，也能讓顧客感
受便利性。不過，最常見的一種槓桿，就是提高顧客
的生產力，也就是協助顧客把事情做得更快更好。

　　要了解產品效益是否夠獨特，企業應該從顧客和
非顧客的整個買方經驗週期中，檢討產品能否能消除

買方經驗週期

採購 →	交貨 →	使用 →	輔助 →	維護 →	拋棄
● 你花了多少時間才找到需要的產品?	● 產品交貨花了多少時間?	● 使用這種產品需要經過訓練或導專家協助嗎?	● 你需要其他產品和服務,才能讓這種產品發揮作用嗎?	● 這種產品需要外部維修嗎?	● 使用這種產品會造成廢棄物嗎?
● 賣場是否方便及吸引人?	● 新產品開封和安裝的難易度如何?	● 產品未使用時,是否方便儲藏?	● 如果需要,得花多少錢?	● 維修工作以及產品升級的難易度如何?	● 拋棄回收這種產品難易度如何?
● 交易環境是否安全?	● 顧客是否必須自己安排運貨?安排運貨的難易和費用如何?	● 產品功能和特色效用如何?	● 需要花多少時間?	● 維修需要花多少錢?	● 要安全處理掉這種產品,是否涉及任何法律或環保問題?
● 作業是否迅速?		● 這種產品或服務提供的效用或選擇,是否遠超出一般使用者的需要?這些喙頭是否導致費用太高?	● 它們造成多大的不便?		● 處理掉這種產品需要花多少錢?
			● 得到這些輔助產品或服務的難易度如何?		

最多使用障礙。產品效益面對的最大障礙，往往最接
近也最可能開發出特殊價值。圖表6-4顯示企業該如何
辨認開發獨到效益最關鍵的熱點。藉著在買方效益圖
中36個空格的位置裡，找出提案產品的定位，你可以
清楚地看出，新構想與現有產品相比，能否創造不同
的效益、如何創造？新構想能否消除這些效益會面臨
的重大障礙，並把非顧客變成顧客？如果你的產品像
其他同業一樣，未能通過效益圖中某些相同空格的檢
驗，這種產品就不可能創造藍海。

圖表 6-4

發掘買方效益會面對的障礙

採購	交貨	使用	輔助	維護	拋棄
顧客生產力：	哪個階段是顧客生產力的最大障礙？				
簡單：	哪個階段對簡單程度構成最大障礙？				
便利：	哪個階段對便利構成最大障礙？				
風險：	哪個階段是減少風險的最大障礙？				
樂趣和形象：	哪個階段對樂趣和形象構成最大障礙？				
環保：	哪個階段對環境構成最大障礙？				

案例：Ｔ型車奠定福特江山

看看福特的Ｔ型車（Ford Model T）。在這種汽車出現之前，美國的五百多家汽車廠商專事製造為有錢人特別訂做的豪華車。從買方效益圖的角度，整個產業只注重使用階段的形象，也就是滿足週末出遊的拉風豪華車。36個效益空格中，只填滿一個空格。

但是，對於大多數人來說，汽車業的效益面對的最大障礙，不是提升車子本身的豪華或拉風形象，而在於另外兩個因素。第一個效益障礙是使用階段的便利性。二十世紀初的道路大多顛簸泥濘，馬車可以往來自如，可是結構精密的汽車卻很難暢行無阻。這種路況限制了汽車行駛的地方和時間（在下雨或下雪天開車非常不智），使得開車成了拘束不便的事。第二個效益障礙在維修保養階段。由於汽車製造精巧，又擁有各種選擇性配備，因此很容易故障，需要專家修理，然而一來收費昂貴，二來合格的專家也不好找。

福特的Ｔ型車一舉消除這兩種效益障礙。Ｔ型車被稱作國民車；只有單一顏色（黑色）和單一車型，選擇性配備極少。這麼一來，福特不必對使用階段的形象進行投資。福特不再只為少數富人製造週末到鄉

間遊玩的汽車。它的 T 型車是供作日常使用,性能可靠,堅固耐用,在泥土路面、雨天、下雪天或晴天都行駛無礙,而且很容易修理或使用,一天功夫就可以學會怎麼駕駛。

買方效益圖從這個角度,清楚呈現出,構想不同會產生巨大差異——有的構想能眞正創造出全新而前所未有的效益;有的構想基本上只是改造現有產品,或是做到科技突破卻無法增加產品價值。這項程序的目的是,檢討你的構想能否像 T 型車一樣,在效益獨特性上通過考驗。利用這種判斷檢測,你就知道該如何修正你的構想。

從顧客和非顧客的整體買方經驗週期切入,產品效益最大的障礙在哪裡?你的產品能否有效消除這些障礙?如果不能,這種產品很可能是爲創新而創新,或只是對現有產品略加修改。如果企業產品能通過這項檢測,就可以進入下一個步驟。

吸引顧客的定價

　　要確保產品能夠為公司帶來源源不斷的豐厚利潤，必須有適當的策略定價。這個步驟確保顧客不止會對你的產品動心，他們也具備強大的購買力來付諸行動。許多公司反其道而行，在推出新的業務構想時，先針對喜歡嘗新、不在乎售價的顧客，測試新產品或服務的市場，後來才逐漸降低價格，以吸引主流顧客。但是，一開始就知道哪個價位能迅速吸引最多目標顧客，已經愈來愈重要。

　　這種改變主要是兩個原因所致。第一，企業發現銷量能達到的獲利比以前高了，因為現在的產品更加知識密集，用於研發的成本遠高於製造成本。這種情形看軟體業就知道了。例如，微軟公司花了幾十億美元開發視窗 XP 作業系統，大量生產時只需花費區區光碟成本。這使得銷量成了關鍵。

　　第二個原因是某些產品或服務對顧客的價值，可能與用戶總數息息相關。eBay 就是最顯著的例子。一種產品或服務如果用戶太少，一般消費者也不會感興趣。這種現象稱為網路外部性（network externality），

並使許多產品和服務的高下立判：要不是立刻賣掉幾百萬個，要不就是一個都賣不掉[1]。

同時，知識密集產品的興起，也產生了可能遭到模仿或複製的問題——因為知識的特性就是非競爭（nonrival）與部分排他（partially excludable）[2]。如果一家公司使用的是「競爭物」（rival good），就杜絕了其他公司使用的可能性。例如，有個諾貝爾獎得主是IBM的正式員工，他就不能同時為另一家公司工作。美國鋼鐵大廠Nucor用掉的廢鐵，也無法為其他小廠同時利用。

相形之下，一家公司使用「非競爭物」（nonrival good），其他公司也可以使用同樣的東西。思想創意即屬於這種類別。例如，維京航空公司為商務旅行推出新的概念，設計了特別商務艙，結合傳統頭等艙的寬敞座椅和空間，以及商務艙的票價。其他航空公司可以自由模仿這種做法，而不會影響維京使用這種構想的能力。這使得業者不僅可以模仿同業的作為，以免在市場競爭落後，也比較省錢，因為發展創新構想的成本和風險由首開先鋒的人負擔，其餘跟進的人都可以白白享受現成好處。

【知識密集產品的興起，產生了可能遭到模仿的問題；因為創新的成本已被吸收，跟進者可以坐享其成。】

　　一旦再考慮到排他性（excludability）的觀念，這種挑戰更形加劇。排他性是物的本質和司法系統的一種功能。如果企業能夠阻止同行使用某物品（例如，限量供應或專利保護），這種東西就具有排他性。比方說，英特爾（Intel）是利用專利所有權法，阻止其他微處理晶片製造商使用它的製造設施。但是，曲線健身中心就不能禁止某些人進入健身房裡，研究其中陳設、氣氛和運動程序；也無法阻止別人模仿它的基本經營概念：女性每周只需運動三次，每次運動 30 分鐘，就可以保持身材健美，並與同性一起享受運動的樂趣，不像在一般健身中心，經常碰到尷尬場面。曲線公司的模式中，附加價值最高的元素並不具排他性。所有構想都攤在陽光下，相關知識自然而然會流傳到其他公司。

　　缺乏排他性更增加了被抄襲的風險。正如曲線公司、星巴克或西南航空公司富有創意和活力的經營概念所顯示，許多力量最強大的藍海構想蘊含極大的價值，可是它們並不具任何新的科技突破。因此，不能申請專利，也沒有排他性，所以極易遭到模仿。

　　這表示產品策略定價不僅必須能夠吸引大批顧

客，也必須能夠留住顧客。由於遭人模仿的可能性很高，產品必須一推出就建立口碑，因為在當今人際關係密如蛛網的社會，品牌建立日益仰賴口碑。因此，企業必須讓新產品一出現就使顧客無法抗拒，而且必須維持這種情況，以遏止同業的抄襲。這是策略定價之所以重要的原因。策略定價是針對這個問題：產品價位是否從一開始，就可以吸引龐大的目標顧客群，使他們對這種產品擁有強大購買力？一旦產品結合獨特效益與策略定價，別人就很難跟進。

我們發展出一種稱為「大眾價格帶」（price corridor of the mass）的工具，協助經理人尋找正確價位，讓產品使顧客難以抗拒，而且這種正確價位不見得是最低的價格。這種工具包含兩個彼此相關的不同步驟（見圖表6-5）。

步驟一：確定大眾價格帶

決定產品價格時，所有企業都會先參考形式與它們的構想最類似的產品和服務，而且通常是探討同業的其他產品和服務。這種做法有其必要，可是不足以吸引新顧客。因此，在決定策略定價時，最大的挑戰

【產品價位是否從一開始，就可以吸引龐大的目標顧客群？一旦產品結合獨特效益與策略定價，別人就很難跟進模仿。】

在於了解顧客對價格的敏感性，因為他們會把新產品或服務拿來與其他產品比較，包括其他行業提供的各種形式相異的產品和服務。

要探討本行界限之外的市場，有個方法：列出兩類產品和服務，一類是形式不同，可是功能類似；另一類是形式和功能不同，可是目標大致相同。

形式不同，功能類似。許多創造出藍海的公司，把其他行業的顧客也吸引過來。這些行業提供的產品或服務，與新產品發揮同樣的功能，或擁有同樣的核心效益，只是表面上的形式非常不同。例如，福特公司發展 T 型車時，特別針對馬車進行研究。馬車與汽車擁有同樣的核心功能，都是個人或家庭交通工具。但是，兩者形式非常不同，一種利用動物，另一種使用引擎。福特根據馬車的價格決定 T 型車的售價，而不是與其他汽車廠商的價位相比，結果把汽車業的許多非顧客（傳統的馬車顧客），拉進了自己的藍海。

學校午餐供應商也為這個問題帶來有趣的解讀：親手為子女準備午餐的父母也被拉進比較行列。對許多兒童來說，爸媽與學校餐廳有個同樣的功能 —— 為

孩子提供午餐。但是，他們的形式非常不同：一邊是父母，另一邊是餐廳的供餐台。

形式和功能不同，目標一致。有的公司把距離更遙遠的顧客也吸引過來。例如，太陽馬戲團從各式夜間娛樂活動中，吸引到形形色色的顧客。它的成長，有部分來自其他形式和功能不同的活動的原有顧客。例如，酒吧和餐廳與馬戲團風馬牛不相及。而且這兩者提供的談話和美食享受，也有別於馬戲團提供的視覺娛樂。但是，儘管形式和功能相去極大，這三種活動的顧客都擁有相同的目標：享受一個歡樂夜晚。

把各種類別的替代產品和服務一一列出來，能讓經理人看出他們可能從其他行業和非行業搶過來的所有顧客群。這些行業或非行業可能包括父母（學校午餐供應業），或是家庭理財使用的鉛筆（個人理財軟體業）。接下來，經理人應該像圖表 6-5 一樣，用圖表畫出這些替代產品的價格和銷售量。

這種做法直接呈現最大的目標顧客群在哪裡、他們準備為目前使用的產品和服務花多少錢。涵蓋最大目標顧客群的價格寬度，就是大眾價格帶。

大眾價格帶

第一步驟：確定大眾價格帶　　　　　　第二步驟：在大眾價格帶裡
　　　　　　　　　　　　　　　　　　　　　　　訂出標準
三種另類產品／服務的形式：

圓圈大小反映產品／服務吸引的顧客多少

　　在有些情況下，這個範圍非常寬。例如，西南航
空公司的大眾價格帶，從平均付出 400 美元購買短程
經濟艙機票的顧客，一直到花費 60 美元左右開車到同
樣地方的人。進行這個程序時有個重要關鍵：不要只
根據本行的競爭情況訂定價位，應該把其他各種行業
和非行業也列入考慮，參考其他替代產業和另類產業
的情況來定價。例如，Ｔ型車上市之時，一般汽車的

價格是馬車的三倍以上。如果福特當初根據其他汽車的價格來為 T 型車定價, T 型車的銷路絕對不會呈現爆炸性成長。

步驟二:在大眾價格帶裡訂出標準

這個工具的第二部分,旨在協助經理人判定他在價格帶裡可以選擇的價位有多高,並且不致引起競爭對手跟進。這種評估作業,必須根據兩個主要因素來進行。第一,新產品或服務擁有多大的專利或版權保護。第二,公司擁有多大的獨特資產或核心能力,例如昂貴的生產設施。比方說,英國的戴森家電於1995年推出沒有集塵袋的吸塵器時,由於擁有強大專利和難以模仿的服務,因此可以把產品價位訂得很高。

其他許多公司也利用接近高標的策略定價,吸引龐大目標顧客。這方面的例子包括杜邦公司(DuPont)的萊卡(Lycra)品牌專門化學品、飛利浦公司的 ALTO 專業照明設備、商業應用軟體的 SAP 公司,以及財經軟體的彭博公司。

在另一方面,專利和資產保護情況不確定的公司,應該考慮採取價格帶的中間點。缺乏這類保護的

公司，則必須選擇較低價位。例如，西南航空公司的
服務無法申請專利，也不需獨特資產，因此它的票價
處於價格帶的低標部分，以便與開車旅行競爭。如果
出現以下任何情況，最好採取中間至低標策略定價：

- 藍海產品固定成本很高，變動成本很小。
- 它們的吸引力極度仰賴網路外部性。
- 銷售規模和範圍形成的巨大經濟效益，對它們
  的成本結構極為重要。在這種情況下，銷售量
  會帶來很大的成本利益，使得以量制價更形重
  要。

大眾價格帶不僅可以顯示哪個策略定價區可望引
進龐大的新需求，也顯示你可能必須以何種方式調整
原來的價格估算，以達到這個目標。一旦產品計畫通
過策略定價的考驗，就可以進入下一個步驟。

策略定價決定目標成本

策略次序的下一個步驟，就是訂定目標成本（tar-
get costing）。這主要是針對經營模式的獲利面。為盡
可能擴大藍海構想的獲利潛力，企業應該先訂定策略
定價，然後從其中扣除預期的利潤，以算出目標成
本。在這個程序，一定得用價位扣除預計利潤來推算
成本，不能用成本加上利潤來訂定價位，才能達到既
能賺錢，又使可能跟進的對手難以趕上的成本結構。

但是，目標成本若是根據策略定價而訂定，往往
會變得相當嚴苛。而要達到目標成本的挑戰，有部分
可以從建立獨樹一幟而且焦點明確的策略組合，使企
業得以刪除不必要成本。不妨想想太陽馬戲團剔除動
物和明星演員，以及福特公司製造只有單一顏色和極
少選擇性配備的Ｔ型車，藉此撙節成本。

這些刪節措施有時可以達到目標成本，但往往不
會這麼簡單。福特公司為了達到Ｔ型車設定嚴格的目
標成本，推出各種節省成本的創新方法。當時汽車的
標準製造流程，是由技藝高超的工匠從頭到尾手工打
造。福特卻捨棄既有制度，推出組裝線，以不具特殊

> 【一定得用價位扣除預計利潤來推算成本，不能用成本加上利潤
> 來訂定價位，才能創造對手難以趕上的成本結構。】

技能的一般工人取代熟練的師傅，每個人只負責一個小小的製造環節，生產作業更快速有效率；製造一輛T型車所需的時間，從21天縮短到4天，製造工時也減少60%[3]。如果福特沒有推出這些節省成本的創新方法，就無法從策略定價中獲利。

　　如果不能像福特一樣儘量精簡作業，並以創意方式達到目標成本，反而直接提高策略定價或減少產品效益，這種抄近路的做法根本不可能找到豐饒的藍海。企業要達到目標成本，可以採取三種槓桿。

　　第一種槓桿就是簡化作業，從製造到配銷都引進成本創新措施。產品或服務的原料，能否用價格較低廉的非傳統原料取代？例如用塑膠取代金屬，或是把電話客服中心從英國遷到印度？產品價值鏈中某些高成本但低附加價值的活動，能否大幅消除、減少或外包？產品或服務的作業地點，能否從房地產價格高的地方，轉移到成本較低的地方？就像零售業的家居貨棧、宜家家居（IKEA）和沃爾瑪（Wal-Mart），或像西南航空公司從主要機場轉移到次級機場。能否像福特推出組裝線一樣，藉著改變作業方式，減少生產過程使用的零件或步驟？能否把作業數位化以降低成本？

案例： Swatch 的成本縮減對策

瑞士的帥奇錶（Swatch）藉著探討這類問題，把成本結構縮減到比全世界任何其他鐘錶公司低30%。帥奇錶董事長海耶克（Nicolas Hayek）一開始就成立計畫小組，爲帥奇錶決定策略定價。當時精準而又價廉（大約75美元）的日本和香港石英錶，正攻占大眾市場。帥奇錶把價位定在40美元，讓普羅大眾也買得起好幾隻帥奇錶，做爲時尚配件。這種低價位使日本或香港公司無法模仿帥奇錶，並削價競爭，而仍有利可圖。帥奇錶計畫小組奉命設計出這種價位的產品，不能多出一分錢。他們從成品逆向研發，以達到目標成本。這個過程包括決定帥奇錶需要達到多大的利潤，以支持行銷和服務作業，並爲公司帶來獲利。

由於瑞士人工很貴，帥奇錶必須激劇改變產品和生產方法，才能達到目標成本。例如，帥奇錶捨棄比較傳統的金屬或皮革，改用塑膠。帥奇錶的工程師也把手錶內部結構設計大爲簡化，把所有組件從150個減至51個。最後，他們發展出成本更低廉的新裝配技術，例如錶殼用超音波焊接，而不使用螺絲。這些設計和製造程序的改變全部加在一起，讓帥奇錶把直接

勞工成本在整體成本中所占的比率，從30%降到10%以下。這種成本創新，創造出無人能及的成本結構，使帥奇錶的獲利稱霸大眾手錶市場，打敗擁有廉價人工的亞洲廠商。

除了精簡作業和引進成本創新措施，企業要**達到目標成本的第二個槓桿，就是結盟合作**。對市場推出新產品或服務時，犯錯的公司很多是一手包辦所有生產配銷作業。這有時是因為它們把這種產品或服務，視為發展新業務能力的平台，有時只是沒有考慮其他外部選擇。但是，合作夥伴能夠為公司迅速有效地掌握必要的能力，同時降低本身成本結構。這種做法讓企業能夠利用其他公司的專長，並獲致規模經濟。

例如，宜家家居之所以能夠達到目標成本，大部分是因為積極建立合作關係，與超過50國的大約1500家製造廠商合作，尋求成本最低的材料和生產作業，以確保2萬種產品擁有最低成本和最快生產速度。

德國的全球商業應用軟體業霸主SAP公司，也藉著與美國的甲骨文公司（Oracle）合作，節省幾億美元甚至幾十億美元研發成本，並得以使用甲骨文公司的

世界級中央資料庫軟體，賴以建立 SAP 的核心產品 R/2 和 R/3。 SAP 更進一步，與凱捷（Capgemini）和 Accenture 等大顧問公司合作，沒有額外花費，轉眼之間就掌握它所欠缺的全球銷售網。甲骨文公司銷售力量小得多，而且必須負擔固定的成本開支， SAP 卻能夠利用凱捷和安盛強大的全球關係網，與 SAP 預定的顧客群搭上線，而且公司不必爲此負擔任何成本。

不過，有時再怎麼精簡作業、極力創新撙節成本或建立合作關係，都無法達到目標成本。這就得談到**第三種槓桿——改變產業價格模式，讓企業達到預期獲利率而又不致損害策略定價**。改變慣用的價格模式（而非改變策略定價），往往可以克服這個問題。

例如，錄影帶剛問世時，售價逼近 80 美元。很少人願意花這麼多錢，買一部頂多看兩、三次的片子。錄影帶的價格必須根據看電影的費用，而不是根據自己擁有一部片子的滿足感來訂價。因此，一部賣 80 美元的錄影帶，一直打不開市場。企業如果奉行策略定價，每部錄影帶只賣幾塊錢，要怎麼賺錢？答案是根本不可能。但是，百視達公司（Blockbuster）藉著把價格模式從出售錄影帶變成出租錄影帶，繞過了這個

問題。它利用這種方式對錄影帶做策略定價，只要幾美元就可以租一部錄影帶。結果家庭錄影帶市場出現爆炸性成長，而百視達把定價 80 美元的錄影帶反覆出租，比光賣同樣的錄影帶還賺錢。同樣的，IBM 把製表機的價格模式，從出售變成出租，以達到策略價格，並符合其成本結構，使市場呈現爆炸性成長。

除了百視達的出租模式或 IBM 的租用模式，企業也採用其他富有創意的價格模式，以策略定價提供產品，創造獲利。一個模式就是分租時間（time-share）。新澤西州的 NetJets 利用這種模式，讓許多企業有能力使用噴射機。這些客戶只購買噴射機某些時段的使用權，而不必真正買下噴射機。另一個模式是共同持分（slice-share）。例如，高品質投資向來是私人銀行專門為有錢人提供的服務，共同基金經理人卻藉著把這類投資分股出售，讓一般投資人也能享受這種服務。

有些公司根本就捨棄價格觀念，把產品送給顧客，換取顧客業務的股本權益。例如，惠普公司（Hewlett-Packard）為加州矽谷新創企業提供高效能伺服機，換取它們一定比率的營收。這些顧客能夠立刻獲得關鍵作業能力，惠普則坐收比機器本身價格高得

多的報酬。這不是有意破壞策略定價，而是透過新的價格模式達到目標。我們稱之為「創新定價」（pricing innovation）。但是，切記，一個產業的創新定價（例如出租錄影帶），經常是另一個產業的標準定價模式。

圖表 6-6 顯示，價值創新通常會藉著上述三種槓桿，把獲利擴展到極限。正如這個圖表所顯示，公司從策略定價起步，並從其中扣除預定利潤，以達到目標成本。為了達到能夠支持預定利潤的目標成本，公

圖表 6-6

藍海策略的獲利模式

司有兩種重要的著力目標：一個是精簡作業和成本創新，另一個是尋找合作夥伴。如果還是無法建立低成本經營模式，也無法達到目標成本，就應該轉向第三種槓桿，創新定價，一方面達到策略定價，又能創造獲利。當然，就算是達到目標成本，也一樣可以追求創新定價。一旦公司的產品成功解決經營模式的獲利面，就可以進入藍海策略的最後一個步驟。

經營模式若是基於獨特效益、策略定價、目標成本的次序而建立，就能達到價值創新。與傳統科技創新不同的是，價值創新的基礎是為顧客、企業和社會創造全贏的局面。附錄 C〈價值創新的市場動態〉，解釋如何在市場推展這種程序，並指出其利害關係人（stakeholder）在經濟和社會福利受到的影響。

解決推動障礙

就算是無懈可擊的經營模式，都不足以保證這種創造藍海的構想，能帶來商業上的成功。就定義來說，藍海構想一定會威脅現狀，因此可能使公司的三

大利害關係人出現恐慌和反彈。這三大利害關係人就是員工、企業夥伴和一般大眾。在進行投資，並把新構想付諸實施前，應該先教育這些心裡忐忑不安的人，以克服他們的恐懼心理。

員工

企業推行新的業務構想時，員工常擔心生計會受影響。如果不能妥善處理這種問題，可能讓公司付出昂貴代價。例如，美林公司（Merrill Lynch）管理階層宣布成立電腦網路經紀服務計畫時，龐大的零售經紀部門出現反彈和內鬥，使公司股價大跌14%。

在宣布新的業務構想前，管理階層應該協同努力與員工溝通，讓他們了解公司很清楚執行新構想構成的各種威脅。公司應該與員工合作，設法排除這些威脅，為公司裡面的每一個人創造全贏局面，雖然他們的角色、職責和酬勞可能變動。摩根士丹利添惠（Morgan Stanley Dean Witter & Co.）就採取與美林公司不同的做法，在擬定策略以應付網際網路構成的挑戰時，鼓勵員工參與內部公開討論。這種心血沒有白費。由於市場體認摩根的員工了解網路業務的必要，

> 【新構想付諸實施前，應該先克服來自員工、企業夥伴和一般大眾的恐懼和疑慮。】

這種計畫最後宣布時，公司股價劇升13%。

企業夥伴

企業夥伴可能擔心新的業務構想，會威脅到他們的營收或市場地位，而這方面的阻力，可能比員工的不滿造成更強大的破壞力。SAP在發展加速導入R/3軟體的ASAP（加速SAP）時，就碰到這種問題。ASAP的導入速度更快，因此可以降低成本，使中小企業終於負擔得起商業應用軟體提供的利益。問題是，要為ASAP發展最佳範本（template），需要大顧問公司積極合作，而這些公司從SAP的其他產品冗長的導入程序獲得很大的利益，所以它們不見得肯合作為企業軟體尋求最快速的執行方式。

SAP藉著與合作夥伴公開討論，解決這種困難。SAP主管說服顧問公司，只要與SAP合作，就可以拉到更多生意。雖然ASAP會縮短中小企業導入系統的時間，可是顧問人員可以接觸到新的客戶群，而這方面的報酬，將超過他們從大企業損失的收入。此外，很多顧客批評商業應用軟體的導入太花時間，新軟體卻使顧問人員化解這方面日益強烈的聲浪。

一般大衆

　　反對創新的力量也可能蔓延到一般大眾，如果構想很新又極富創意，威脅到既有的社會或政治規範，更可能引發強烈風潮，並造成慘重後果。生產基因改良食品的孟山都公司（Monsanto）就是個現成例子。在「綠色和平」、「地球之友」、「土地委員會」等環保團體圍剿下，它的意圖遭到歐洲消費者質疑。歐洲長久以來非常注重環境維護，農業遊說勢力也一直都十分強大，因此環保團體的主張很能獲得當地共鳴。

　　孟山都的錯誤在於放任別人主導這方面的辯論。它應該教育環保團體和大眾，讓他們了解基因改良食品的利益，並說明這種科技發展可能有助於消滅饑荒和疾病。產品上市後，孟山都應該明確標示哪些產品曾使用基因經過改良的種子，讓消費者在天然有機食品和基因改良食品之間有所選擇。如果孟山都採取這些步驟，它不但不會成為眾矢之的，甚至可能像英特爾之於電腦一樣，成為未來食品基礎科技的象徵。

　　教育這三大利害關係人（員工、企業夥伴、一般大眾）時，最重大的挑戰在於進行公開討論，說明何

以必須採取這種新構想。你應該闡述這種構想何以必要、讓大家了解它可能造成哪些影響、公司準備如何因應這些影響。利害關係人都希望自己的意見獲得重視，也不希望出現讓他們意想不到的情況。公司只要願意開誠布公地與他們進行這種對話，付出的時間心血絕對會換來極大的報酬。（第八章將更深入討論企業能夠以哪些方式，讓利害關係群體參與新構想。）

藍海構想的成功機率

企業應該依序從產品效益、價格、成本到推行，按部就班形成藍海策略，這些標準也形成一個完整的體系，確保商業成功。藍海構想（blue ocean idea，BOI）指數提供這整個系統一個簡單但效用強大的檢測。

正如圖表 6-7 顯示，如果根據 BOI 指數來評分，一眼就可以看出飛利浦的 CD-I 和摩托羅拉的銥電話，距離開啓利潤豐厚的藍海還非常遙遠。飛利浦的 CD-I 提供了複雜科技功能和有限軟體，但無法為顧客創造

圖表 6-7

藍海構想（BOI）指數

		飛利浦 CD-I	摩托羅拉 銥手機	日本 DoCoMo i-mode
效益	產品是否有獨特效益？是否有吸引顧客購買的充分理由？	-	-	+
價格	產品價格是否符合廣大顧客的負擔能力？	-	-	+
成本	產品的成本結構是否符合目標成本？	-	-	+
推行	你是否一開始就設法解決推行障礙？	-	+/-	+

獨特效益。它的價格高，讓廣大顧客無法負擔；而且製造程序繁複，成本又高。這種機器設計非常精巧，需要半小時以上的時間向有意購買的顧客解說，使得講究速戰速決的零售店員懶得推銷 CD-I。因此，飛利浦雖然花了幾十億美元研發 CD-I，可是這種產品在 BOI 指數的四個檢驗標準上，一項都無法通過。

飛利浦如果在開發期間，用 BOI 指數評估 CD-I 的業務構想，或許可以預見這種構想的固有缺失，並在一開始就設法加以解決。例如，它可以簡化產品；鎖

定合作夥伴，請它們代爲發展吸引人的軟體；訂定大衆負擔得起的策略定價；採用從價格推算成本，而不是從成本推算價格的策略；與零售業合作，爲售貨員設計一套簡便的推銷方法，在幾分鐘內就能清楚解說產品。

同樣的，摩托羅拉的銥電話也因爲製造成本太高，售價貴得不合理。它並未對廣大顧客提供誘人的效益，又不能在建築物或汽車裡使用，而且機體笨重得像塊磚頭。在推行方面，摩托羅拉克服了許多管制法規，並在許多國家拿到電波傳送權。員工、合作夥伴和一般社會大衆也擁有合理的動機，願意接受這種構想。但是，摩托羅拉在全球市場的銷售團隊和行銷管道都很弱，因此公司無法有效追蹤和掌握銷路，而顧客有時會碰到缺貨。效益、價格和成本的基礎太弱，再加上採用能力平平，導致銥電話構想注定失敗的命運。

案例： NTT 的全贏合作

日本電信電話公司（NTT）的 DoCoMo i-mode 做法全然不同。 1999 年，大多數電訊業者仍專注於對語

音無線電服務做科技競賽和價格競爭時，NTT
DoCoMo 這家日本最大的電訊公司卻推出 i-mode，透
過手機提供網際網路服務。日本一般手機公司在電話
的機動力、聲音品質、使用簡便和硬體設計方面，都
已達到相當精深的水準。但是，它們很少提供資料服
務，包括電子郵件，連接資料、新聞、比賽，以及交
易能力，而這些都是個人電腦網路世界的殺手應用功
能。i-mode 服務把手機和個人電腦網路業的這些重要
利益結合起來，爲顧客創造出獨特而又卓越的效益。

　　i-mode 服務用普通大眾負擔得起的價格，提供這
種獨特效益。i-mode 每個月的基本費、語音和資料傳
送費，以及傳送內容的費用，都屬於「不假思索」
（nonreflection）的策略定價區，鼓勵顧客因一時衝動
而購買，並使客戶群儘快達到龐大數量。例如，一個
內容網站一個月的費用爲 100 日圓至 300 日圓，而這是
根據大多數日本人經常在車站書報攤信手購買週刊的
價格決定的。

　　定出能夠吸引廣大顧客的價格後，NTT DoCoMo
又努力發展在目標成本內提供服務的能力，以達到獲
利。在邁向這個目標的過程中，NTT 從來不受本身資

產和能力侷限。雖然它在 i-mode 計畫中,專注於本身作為經營者的傳統角色,努力發展和維持高速度、高能量網路,可是它也積極與手機廠商和資訊供應業者合作,以提供其他的重要服務成分。

　　NTT 藉著創造一個全贏的合作關係網,試圖達到及維持由策略價格訂定的目標成本。這個合作關係網擁有許多合作夥伴和層面,其中有幾個特點與我們討論的問題關係特別密切。第一, NTT DoCoMo 堅持與合作的手機廠商分享科技和知識,以協助它們保持領先優勢。第二,它對無線電網路扮演入口和通道角色,不斷擴大和更新 i-mode 可連接的網址清單,並吸引內容供應商加入,創造能夠增加用戶使用量的內容。 NTT 也協助內容供應商收帳,只收取有限佣金,為這些供應商省下發展收帳系統的龐大成本。在此同時, DoCoMo 也為本身維持源源不斷成長的營收。

　　更重要的是, i-mode 不使用無線應用協定(WAP)標準的無線電傳輸語言(Wireless Markup Language , WML),卻採取已在日本廣泛使用的 c-HTML 語言。這使得 i-mode 對內容供應商更富吸引力,因為使用 c-HTML ,讓軟體工程師不必重新接受訓練,就能把為

網際網路環境設計的現有網址，改成能夠使用 i-mode
模式的網址，因此也不會增加額外花費。 NTT
DoCoMo 也與一些重要外國夥伴建立合作關係，包括
昇陽（Sun Microsystems）、微軟和英國手機軟體商辛
比恩（Symbian），整體開發成本因而降低，並縮短有
效推出產品的時間。

　　i-mode 策略的另一個重要層面，就是執行計畫的
方式。公司為這項計畫成立一個專案小組，賦予明確
權力和自主地位。大部分小組成員由組長親自遴選，
並與他們公開討論如何創造行動資料傳輸的新市場，
讓他們全心投入這項計畫。這些做法為採用 i-mode 形
成有利的企業環境。此外，公司為合作夥伴創造的全
贏模式，以及一般日本大眾已準備使用資料服務，都
促使 i-mode 成功獲得普遍接納採用。

　　正如圖表 6-7 所顯示，i-mode 服務通過了 BOI 指
數的四項標準考驗。 i-mode 也確實非常成功。推出才
六個月，訂戶就達到 100 萬個，兩年內更達到 2170 萬
個，僅只小包傳輸（packet transmission）的收入就增
加了 130 倍。到 2003 年底，訂戶總數達到 4010 萬個，

資料、照片和文字傳輸的營收，也從 2 億 9500 萬日圓，暴增到 8863 億日圓。

DoCoMo 是迄今唯一能夠從網際網路手機連線賺錢的公司。 DoCoMo 的市值和獲利成長潛力，都已超過母公司 NTT 。

雖然 i-mode 在日本非常成功，它在日本境外的成敗，卻繫於能否克服區域的推行阻力，包括當地法規、文化和感情等因素，以及合作夥伴的動員能力和基本設施經濟情況。

通過藍海構想指數的考驗後，現在可以換個角度，從藍海策略的擬定層面，轉移到執行層面。這方面的問題在於，如何讓一個組織與你一起執行這種策略，特別是當這種策略與傳統思維嚴重矛盾？這就得談到本書的第二部分，以及藍海策略的第五個原則：克服重要的組織障礙。這也是下一章的主題。

策略執行與獨占勝局

BLUE OCEAN STRATEGY

執行藍海策略有兩大原則：
1. 克服重大組織障礙，
2. 策略與執行緊密結合。

成功開發並執行藍海策略後，
經理人還會持續面臨一個重大挑戰：
這片獲利豐厚的藍海必然引來競爭者的抄襲跟風，
你該如何提高藍海策略的模仿障礙？

藍海策略

第 7 章

克服重大組織障礙

儘管領導人的時間緊迫，組織資源有限，
只要啟動引爆點領導（tipping point leadership），
就能夠克服認知、資源、動機和政治阻力，
解決組織風險（organizational risk）。

　　一旦發展出藍海策略，找到可獲利的經營模式，接下來就必須設法執行。當然，任何策略都有執行面的挑戰。公司就像個人，把策略轉變成行動時，往往會遭遇各種困難，不論在紅海或藍海中都是如此。但是，與紅海策略相比，實行藍海策略時，組織需要推翻現狀的程度通常較為劇烈。藍海策略的關鍵是，在價值曲線上採取較低成本，另闢蹊徑，這種背離主流的做法使執行起來較難推行。

經理人的挑戰

　　經理人認為，這種挑戰確實非常艱鉅。他們要面對四種障礙。第一種是積習難除。領導階層必須喚醒員工，體認改變策略的必要。紅海或許無法將公司導向能夠持續獲利的未來，可是大家已經習以為常；甚至有人會認為，組織一直都運作良好，為什麼現在要破壞現狀？

　　第二種障礙是資源限制。策略變動愈大，愈讓人誤以為需要動用很多資源才能執行。但是，我們研究

> 實行藍海策略時，需要推翻現狀的幅度通常超越紅海策略；而
> 在價值曲線採取較低成本也背離過去認知，因此較難推動。

的多數組織顯示，執行藍海策略所動用的資源不但沒有增加，反而減少。

第三種障礙是欠缺動機。如何激勵關鍵人員迅速、堅定地執行策略，突破現狀？要達到這個目標，經常需要花幾年功夫，經理人卻沒有這種時間。

最後一種障礙是政治角力。某位經理人就曾提到：「在我們組織裡，有誰想強出頭，馬上會被打壓。」

這些障礙對企業造成的阻力有大有小，許多公司可能只遇到某一部分，但是，知道如何克服這些障礙，才能降低組織風險。這就得談到藍海策略的第五個原則：克服重大組織障礙，以推動藍海策略。

要成功做到這點，首先必須擺脫推動變革的既有思維。傳統思維認為，改變愈大，投入的資源和時間也要更多，才能收到效果。但是，推動藍海策略時，必須顛覆傳統想法，採用我們所謂的引爆點領導（tip-ping point leadership）。這種領導方式讓你在執行跳脫現狀的計畫時，能夠用低廉的成本，迅速克服這四大障礙，並贏得員工支持。

啟動引爆點領導

　　1990 年代的紐約市警局，是政府部門推動藍海策略的範例。比爾・布萊登（Bill Bratton）在 1994 年 2 月出任紐約市警局局長時，面臨了前所未有的艱困挑戰。1990 年代初期，紐約市幾乎瀕臨無政府狀態。謀殺案件創下新高，每天的頭條新聞都是攔路打劫、黑幫火拚、私刑、持械搶劫。紐約市民人人自危。但是，布萊登的警力預算卻遭凍結。事實上，紐約市 30 年來犯罪案件節節升高，社會學家認定，警力執法已無濟於事。紐約市民忍無可忍，《紐約郵報》（*New York Post*）某天的頭版標題甚至高呼：「大衛，做點事！」要求當時的紐約市長大衛・丁勤時（David Dinkins）儘快遏制犯罪浪潮[1]。然而，警察的工作危險、工時長、待遇低，加上重視年資的制度使得升遷困難，3 萬 6000 名紐約警察的士氣陷入谷底，此外，預算削減、配備老舊和貪污風氣也帶來負面影響。

　　以企管用語來說，紐約市警局深陷財務困境，而 3 萬 6000 名員工膠著於現狀，欲振乏力、待遇太差；顧客（紐約市民）抱怨連天；犯罪、恐懼和混亂節節高

升，在在顯示警察的工作績效每下愈況。此外，還有根深柢固的地盤鬥爭和政治角力。簡言之，要領導紐約市警局改頭換面，貫徹策略，簡直是大部分主管難以想像的惡夢。警察的競爭對手（罪犯），則是愈來愈猖狂囂張。

但是，不到兩年，也沒有增加半毛預算，布萊登居然把紐約市變成全美最安全的大城市。他突破紅海重圍，為執法作業引進藍海策略，在警界掀起革命。在 1994 到 1996 年之間，這個公家機關的「獲利」明顯提升：重大刑案減少 39%，謀殺案減少 50%，竊案則減少 35%。「顧客」也獲益：蓋洛普民意調查顯示，對紐約市警察有信心的民眾，從 37% 躍升為 73%。警局員工也士氣大振：內部調查顯示，紐約市警察的工作滿意度達到空前高峰。一名巡警甚至宣稱：「我們願為布萊登赴湯蹈火，在所不辭。」最重要的是，這些轉變並沒有因為領導換人而消失，證明了紐約市警局的組織文化和策略已從根本改變。雖然布萊登於 1996 年卸任，紐約犯罪率仍持續下降。

在執行突破現狀的策略時，布萊登面對罕見的嚴峻組織障礙。事實上，不管組織處於任何狀態，能夠

　　像布萊登一樣扭轉乾坤的領導人都是少之又少。連傑克‧威爾許（Jack Welch）都得花十年的時間和幾千萬美元進行改造和訓練，才能讓奇異公司（GE）轉變成強大的企業。

　　更有甚者，布萊登顛覆了傳統思維，利用有限的資源，在短短的時間內達到這些突破性的結果，並提升員工士氣，為各方創造出多贏局面。這並不是布萊登第一次成功扭轉策略，而是第五次。雖然布萊登總是得面對經理人所說的，阻撓藍海策略的四大障礙：員工的「認知障礙」，無法看出激進轉變的必要；企業普遍面臨「資源限制」問題；員工「欠缺動機」，士氣低落、意興闌珊；以及企業內外抗拒改變的「政治角力」（請參考圖表 7-1），然而布萊登依舊能不辱使命。

找出槓桿借力使力

　　引爆點領導源自流行病學，以及引爆點理論[2]。它的主要立論在於，只要組織裡持有某種信念的成員數量達到某個臨界點，他們所累積的能量便會引爆，推

> 【引爆點領導的原理在於，每一個組織裡，都有一些人物、行為和活動，對企業績效具有扭轉乾坤的影響力。】

圖表 7-1

策略執行面對的四大組織障礙

認知障礙
組織膠著於現狀

政治角力
強勢既得利益團體的抵制

資源限制
資源有限

欠缺動機
員工士氣低落

動某個構想，迅速從根本改變組織。要啟動具有感染力的群體行為，關鍵是集中，而不是分散。

引爆點領導的根基是一個鮮少運用到的企業現實，那就是在每一個組織裡，都有一些人物、行為和活動，對企業績效具有扭轉乾坤的影響力。因此，克服重大挑戰時，目標不在於引發強大的回應，投入大量的時間和資源，才能獲致預期的成效；要做的反而是精簡資源和時間，投注於發掘組織內能發揮牽一髮動全身的槓桿因素，並運用這些因素。這與傳統思維

剛好背道而馳。

　　採用引爆點領導的領導者，必須回答下列關鍵問題：對於打破現狀、讓每一分資源發揮最大功效、激勵重要人員積極推動變革、破除政治阻力，哪些因素或行動具有扭轉乾坤的正面影響？聚焦這些因素，領導人便能夠克服四種限制策略執行的主要障礙。

　　現在，我們就來討論，如何運用這些「槓桿因素」，克服四大障礙，把藍海策略從想法變成行動。

突破認知障礙

　　在企業改造和轉變的過程中，最艱苦的挑戰就是讓眾人體認到策略變革的必要，並認同變革的理由。大多數企業執行長在倡導變革時，只會指出各種統計資料，堅持公司必須訂定並達到更好的績效目標。他們強調：「績效只有兩種：達到目標，或是超越目標。」

　　但是，大家都知道，數字是可以操弄的。目標若是過於誇大，等於鼓勵員工在預算編製過程做手腳，

造成組織各部門間的猜忌和敵對。即使不操弄數字，
數字本身可能也會有所誤導。例如，抽取佣金的業務
員，就不太注意他們的銷售成本。

　　此外，一般人很難記住以數字溝通的訊息。數字
讓營運第一線的經理人覺得太過抽象遙遠，而這些經
理人正是執行長必須爭取的關鍵對象。自家部門運作
良好的經理人，會覺得上級的批評並不是針對他們而
發，認為那是高階管理者的問題。自身部門表現不佳
的經理人，會自覺受到警告，有些人可能會擔心職務
不保，轉而另謀出路，而不是設法解決公司的問題。

　　引爆點領導不靠數字破除組織的認知障礙。為了
迅速破除認知障礙，像布萊登這樣的引爆點領導人，
會立刻採取影響力具有高度槓桿的行動，那就是讓人
們親眼看到、親身體認嚴酷的現實。神經科學和認知
科學的研究顯示，人類對於親眼看到、親身體驗的事
物，最能有效記憶和回應，正所謂「眼見為憑」。在經
驗領域，正面刺激能夠增強行為，負面刺激則會改變
行為和態度。例如，小孩子用手指沾糖霜吃，味道愈
甜美，他愈會不斷去吃，根本不需父母鼓勵這種行
為。相反地，在碰過一次熱爐子後，他們絕對不會再

去碰。也就是說，有了負面經驗後，孩子會自動改變
行為，同樣不需父母嘮叨[3]。另一方面，研究結果顯
示，經驗若非來自觸摸、看見或感受到實際結果（例
如拿到抽象的數字報表），往往讓人覺得無關痛癢，也
很容易就忘得一乾二淨[4]。

根據這種認識，引爆點領導可以迅速改變人的心
態，而且是發於內心的改變。這種領導方式不是利用
數字來克服認知障礙，而是用兩種方式讓組織成員體
認到變革的必要。

面對惡劣現實

要打破現狀，必須讓員工親眼看到最惡劣的營運
問題。不要讓高級主管、中級主管或任何主管對現實
狀況存有任何假想。數字是可以辯駁的，也無法啓發
人心，可是直接面對差勁的績效，會讓人感到震撼、
無法推卸，並以行動加以改變。這種直接經驗對於員
工的認知障礙，能夠迅速產生扭轉乾坤的影響力。

例如，1990 年代，紐約地鐵系統瀰漫著恐懼氣
氛，甚至有個「電動污水管」的惡名。民眾拒絕搭乘
地鐵，地鐵的營收銳減，但是，紐約地鐵警察卻不肯

面對治安不良的現實。為什麼？因為只有3%的重大刑
案發生在地鐵。因此，不論大眾如何批評，相關單位
都置若罔聞，不覺得有必要重新思考警力部署策略。

　　就在此時，布萊登奉令出掌紐約地鐵警局。幾個
星期內，他就讓紐約地鐵警察的心態完全改變。他是
怎麼辦到的？他沒有行使威權，沒有用數字做滔滔雄
辯，只是以身作則，要求各級主管親自搭乘「電動污
水管」。在布萊登之前，從來沒有人這樣做。

　　儘管統計資料可能讓警察覺得地鐵很安全，現在
他們卻親眼看到紐約市民每天面對的景象：瀕臨無政
府狀態的地鐵系統。年輕幫派份子在車廂橫行霸道，
逃票行為猖獗，到處都是塗鴉，惡丐橫行，座位上酒
鬼橫陳。警察無法再逃避醜陋的現實，辯稱他們不需
改變部署，大幅改善現狀，而且要快。

　　讓主管人員看到最惡劣的現實狀況，也能夠迅速
改變他們的心態，並體認到領導者的要求。但是，少
有領導人懂得利用這種當頭棒喝的力量。他們經常反
其道而行，試圖用無關痛癢也無法引發情緒的統計數
字，或是祭出當年的傑出成就來爭取支持。雖然這些
方法也可能管用，可是都比不上親身體會赤裸裸的現

實，能迅速有效地破除主管的認知障礙。

　　例如，布萊登主持麻州灣區客運公司（MBTA）的警察部門時，MBTA 的董事會決定購買比較便宜的小型警車。這個決定與布萊登的新策略相違背，但是，他沒有正面對抗，也沒有要求增加預算（這需要花好幾個月重新評估，最後仍然可能被駁回），而是邀請 MBTA 的總經理跟他一起開車到管區視察。

　　為了讓總經理看到惡劣現況，布萊登用理事會訂購的同型小車去接總經理，並把座位向前推，讓他能親自感受到，一個身高六呎的警察坐在裡面，連伸腳空間都沒有的窘境。上路時，他還故意不避開路面的坑洞，讓車行更加顛簸，乘坐更加不舒服。布萊登也佩戴了警察的腰帶、手銬和警槍，讓總經理感覺到，這種車子小得連警察的裝備都放不下。才過了兩個鐘頭，總經理就吃不消了，要求下車。他告訴布萊登，他實在無法想像，布萊登怎麼能夠單獨在這麼小的車子裡忍受這麼久，要是後座有罪犯，狀況更是難以想像。結果，布萊登得到了他需要的大型警車。

傾聽顧客的不滿

　　要克服認知障礙，不僅必須讓經理人走出辦公室，實地視察糟糕的營運情況，也必須讓他們親自聆聽最不滿的顧客抱怨，而非仰賴市場調查。你的高層管理團隊是否親自積極觀察市場，並會見最不滿的顧客，聽取他們的投訴？你是否曾經懷疑，為什麼你對產品充滿信心，銷售成績卻不理想？一言以蔽之，沒有任何經驗能夠取代直接面對不滿的顧客，並聽取他們的意見。

　　1970 年代末，波士頓第四區的犯罪案件暴增，情況非常嚴重。波士頓交響樂廳、基督科學聖母堂，以及其他文化設施都在這個地區，可是犯罪猖獗卻讓民眾為之卻步；當地居民紛紛賣掉房子搬到別處，整個社區的情況愈來愈糟。但是，雖然居民成群離去，布萊登的屬下卻自以為表現得相當不錯。因為，依照傳統績效指標，第四區和其他轄區分局比較之下，表現可謂頂尖：九一一報案電話的回應時間縮短、重罪案破案率提高。為了解決這種落差，布萊登安排了一連串的居民大會，讓警察與社區居民會談。

經過會談後，警民之間的認知差距很快就浮現。雖然警方自豪於縮短接到報案後的因應時間，以及重大罪案破案率的提高，民眾對此卻毫不在意，也毫無所覺。因為，他們很少感受到重大刑案的危害，讓他們提心吊膽的反而是，隨時隨地出現令人怵目驚心的景象：醉鬼、乞丐、娼妓和塗鴉。

這些居民大會促使警方徹底調整工作優先事項，把焦點放在對付「破窗效應」[5]的藍海策略，結果罪案隨之減少，社區民眾也重新感到安全。

喚醒組織正視改變策略和突破現狀的必要性時，你是否想用數字說服大家？還是讓經理人、員工、高級主管（和你自己）面對最惡劣的經營問題？你是否要求經理人親自視察市場，聆聽不滿顧客的咆哮？還是只管派發市場研究問卷，委託外人做你的耳目？

跨越資源限制

一旦組織成員接受改變策略的必要，並對新策略

的輪廓達成共識，大多數領導人會面對資源有限的現
實問題。組織是否有資金做必要的改變？在這個節骨
眼，大部分改革派執行長會採取兩種途徑的其中之
一：縮小企圖心，員工士氣因此再度受到打擊，或者
向銀行和股東爭取更多資源，但這個程序可能很花時
間，也可能會讓人轉移對根本問題的注意力。爭取更
多資源並不是沒有必要或是不值得，只是這經常是個
充滿政治角力的漫長程序。

　　如何讓組織用較少的資源，進行策略變革？引爆
點領導人不會只顧著爭取更多資源，而是致力於加強
現有資源的價值。資源有限時，主管可以利用三種槓
桿因子，快速釋放資源，並把這些資源的價值提高數
倍。這三種槓桿就是熱點、冷點和交換資源。

　　熱點（hot spot）指的是需要投入的資源很少，但
潛在效益很高的活動。相反的，冷點（cold spot）是需
要投入很多資源，但是效益很低的活動。每個組織通
常存在很多熱點和冷點。交換資源（horse trading）就
是把某個部門多餘的資源，拿來交換其他部門的多餘
資源，彼此互通有無，彌補不足。藉著學習正確的資
源配置，企業經常能夠立即克服資源障礙。

有哪些行動會消耗大量資源，發揮的效能卻很少？有哪些活動能產生極大效能，可是缺乏資源？用這種方式切入問題，就能夠迅速看出如何把低效能部門消耗的資源釋放出來，轉移到高效能部門。利用這種方式，可以同時降低成本並提高價值。

把資源轉向熱點

布萊登之前的幾任紐約市警局長老是辯稱，要維護地鐵安全，必須派遣警察隨車戒護每一班列車，並派人巡邏每個地鐵車站出入口。在這種情況下，要提高獲利（降低犯罪）就得增加好幾倍成本（警力），可是預算卻不容許市政府這樣做。這種論調意謂著要改善績效，資源也必須相對增加，這正是大部分企業對改善績效的固有論點。

但是，布萊登沒有增加警力布署，只是針對熱點加強警力，就讓地鐵系統的犯罪案件、恐懼和混亂急遽下降，締造紐約地鐵史上最卓越的治安改善績效。他的分析顯示，雖然地鐵系統的路線和進出口繁多，像個迷宮，可是絕大多數案件都集中在少數幾個車站和路線。他也發現，雖然這些熱點對犯罪績效造成重

大的衝擊,卻沒有獲得警方對應的注意,熱點的警力
部署與其他從未發生犯罪活動的路線或車站一模一
樣。布萊登的解決之道就是重新調整警力,集中對付
這些熱點。果然,在整體警力沒有增加的情況下,地
鐵系統的犯罪率卻直線下降。

　　同樣的,在布萊登接任紐約市警局長之前,紐約
市警局緝毒組的組員就像普通上班族一樣,過著週一
到週五朝九晚五、打卡上下班的生活,組員也只占不
到5%的警力。為了尋找資源熱點,布萊登手下主管犯
罪策略的副總局長傑克・梅波(Jack Maple),召集警
局高級主管開會,要求眾人估計,毒品引發犯罪在所
有罪案中所占的比率。大多數認為占了一半,也有人
認為高達七成的罪案導因於毒品,最保守的估計數字
是三成。梅波指出,根據這些估算,緝毒組組員卻只
占全體警察不到5%,人力顯然嚴重不足。此外,緝毒
組幾乎都在週一至週五上班,可是大部分毒品交易都
在週末進行,與毒品有關的犯罪活動也發生在這段期
間。為什麼會有這樣的落差?因為他們的運作向來如
此,從來沒有人質疑。

　　呈現這些事實並找出熱點之後,布萊登在警局內

大舉調整人力和資源配置的主張也迅速獲得認同。他把人力和資源轉移到熱點，毒品犯罪也直線下降。

他從哪裡得到資源以進行改革？答案是，在進行上述程序的同時，他也評估了組織裡的冷點。

從冷點轉移資源

領導人必須找出冷點，釋出資源並發揮更大效用。布萊登發現，地鐵系統警力作業的最大冷點，就是押解罪犯到法院的司法程序。連押解一個罪行最輕微的嫌犯到市區法院進行相關程序，都需耗費十六個小時。這些時間大可拿來巡邏和提高警力價值。

布萊登改變作業方式，警察不須押解罪犯到法院，而是把相關程序的處理中心移到犯罪現場。他把一些舊巴士改裝成小型派出所，停在地鐵站外。警察逮捕罪犯後，不必老遠押送到位於市區另一端的法院，只要帶到停在車站外的巡迴「收押巴士」即可。這樣一來，處理罪犯的時間從十六小時縮減爲一小時，地鐵警察便可以有更多時間巡邏和逮捕罪犯。

交換資源

　　除了調整內部現有資源的配置重點，引爆點領導人也會有技巧地把不需要的資源，拿來交換需要的資源。在此仍然以布萊登為例。公家機關首長都知道，由於公共資源非常有限，因此他們所控制的預算和人力經常會引起激烈討論。所以，即使手上擁有多餘資源，也習慣密而不宣，更不會交給其他部門使用，以免失去這些資源的控制權。結果，長期下來，一些組織充滿本身不需要的資源，卻缺乏所需要的其他資源。

案例：紐約地鐵拚治安

　　布萊登 1990 年接任紐約地鐵警局局長時，他的法律和政策顧問迪恩・艾瑟曼（Dean Esserman，現為羅德島州普羅維登斯警察局長）主導交換資源的工作。艾瑟曼發現地鐵局十分缺乏辦公室空間，卻擁有太多不需要的車輛。另一方面，紐約市巡警的車輛不足，卻擁有多餘的辦公室空間。艾瑟曼和布萊登主動提出這種明顯互惠的交換建議，巡警欣然同意。至於地鐵

　　警察，他們很高興能夠進駐市區黃金地段的大樓一樓
辦公室。這項交易奠定了布萊登在組織內的聲望，在
他往後推動更根本的改革時，阻力大為減少。也因
此，在上級眼中，他是個有能耐解決問題的人。

　　圖 7-2 的策略草圖顯示，布萊登如何大幅調整地鐵
警局使用資源的焦點，以脫離紅海，並執行藍海策
略。縱軸顯示資源分配的相對水準，橫軸則顯示警局

圖表 7-2

地鐵警察的策略草圖：布萊登如何調整使用資源的焦點

> 除了調整內部現有資源的配置重點，引爆點領導人也會有技巧
> 地把不需要的資源，拿來交換需要的資源。

投資的各種策略因素。藉著減少或完全刪除地鐵警察的一些傳統任務，並強調或創造其他勤務，布萊登使資源配置出現了重大改變。

刪除和減少任務，可以削減組織的作業成本，提升或創造勤務則需要增加投資，但是，從圖中可以看出，地鐵警局所投資的整體資源大致維持原狀，市民得到的價值卻大幅提升。摒除廣泛巡邏整個地鐵系統的做法，代以針對熱點加強巡邏的策略，地鐵警察因而能夠更有效地對付地鐵犯罪。減少處理逮捕程序或冷點的警力，設置收押巴士，警察便可以把時間和心力用於維持地鐵治安，提高警力價值。在與生活品質相關的罪行上加強警力投入，減少對於重大罪案的關注，警力資源便能轉移到讓百姓無法安居樂業的犯罪活動上。透過以上的行動，紐約地鐵警局的績效大為提升，他們不必再受困於煩人的行政工作，職責更加明確，對抗應當關注的犯罪行為。

你是根據舊有想法分配資源，還是找出熱點，集中資源？你的熱點在哪裡？有哪些活動能創造最高的績效，卻缺乏資源？你的冷點在哪裡？有哪些績效低落的

活動，卻投注過多資源？你是否有交換資源的人手，你
有哪些資源可供交換？

跨越動機障礙

　　組織要達到引爆點並執行藍海策略，必須讓員工
了解轉變的必要，並指出如何用有限資源達成目標。
新策略要化為行動，眾人不僅必須體認到需要採取什
麼行動，也必須持續而有效的推動目標。

　　如何以低廉成本，迅速激勵一群員工？大多數企
業領導人在企圖突破現狀、改革組織時，會提出宏偉
的策略願景，展開從上到下的龐大動員計畫。他們這
麼做是因為他們認為，要引起廣大的迴響，就必須有
相對規模的龐大行動。但是，大多數企業內部存在著
各種不同需求，因此這種做法經常是既困難又耗時費
錢。過度崇高遙遠的策略願景，很可能導致陽奉陰
違，這麼一來，想要獲致預期的行動，可能比讓航空
母艦在浴缸裡掉頭還困難。

　　要克服動機障礙，是否有其他方法？引爆點領導

> 【新策略要化為行動，眾人不僅必須讓體認到需要採取什麼行動，也必須以持久而有意義的方式推動目標。】

人不會一開始就發動全面改革，而是集中目標，找出能牽一髮動全身的三項槓桿來提振員工士氣，我們分別稱之為擒賊先擒王、魚缸管理法和切割。

擒賊先擒王

　　策略變革要造成實際衝擊，各階層的員工必須一起有所行動。但是，要引爆積極能量，形成富有感染力的行動，不能一開始就分散力量。相反的，你應該將心力集中在「首腦人物」（kingpin），也就是組織裡擁有影響力的關鍵人物。他們是天生的領導人，備受同僚敬重，具有說服力，或者有能力取得或阻絕重要資源。就像打保齡球一樣，只要直接擊倒中央瓶，其他球瓶也會應聲而倒。運用這種方法，組織不必去對付每個人，但是每個人最後都會受到影響和改變。而且，由於大多數組織的意見領袖畢竟只占少數，而他們通常有共同的問題和關切事項，因此執行長比較容易找出他們，並激勵他們。

　　例如，在紐約市警局，布萊登就將76個分局長視為關鍵影響人物和意見領袖。為什麼？因為每個分局長直接控制200至400名警察。因此，只要能提升

這76位分局長的士氣,自然能夠產生連鎖反應,影響
並動員3萬6000名警察,讓他們接受新的策略。

把首腦人物放進魚缸

以持續有效的方式激勵首腦人物,關鍵在於讓他
們的一舉一動都逃不過大眾的眼光。這就是我們所謂
的魚缸管理法(fishbowl management),要讓關鍵人物
成為透明魚缸裡的魚一樣,不論他有所作為或缺乏作
為,別人都看得一清二楚。如此一來,當這些人怠惰
無能時,所須承擔的代價便提高了。因為,拖延誤事
的人會成為眾矢之的,推動迅速改變的人則能在公平
的舞台上綻現光芒。要讓魚缸管理法發揮效用,有三
個主要原則:透明、人人有分和公平程序。

在紐約市警局,布萊登的魚缸是兩週一次的策略
檢討會議。他召集警方高級主管一起開會,檢討76
名分局長執行新策略的績效。所有分局長都必須出
席,三星警官、副總局長、紐約市五個區的警察首長
也得與會,布萊登本人也盡可能參加。會議中,每個
分局長都必須在同儕和上司面前接受質詢。現場同時
展示電腦製作的巨幅圖表投影片,各個分局長執行新

策略的績效，在此無所遁形。分局長必須負責解說圖表呈現的情況，描述屬下如何處理有關問題，並說明打擊犯罪的績效何以提升或下降。在這種會議中，每個人的績效和責任都一清二楚、非常透明。

結果，不用花上幾個月或幾年，才不過幾星期，紐約警方就形成競爭激烈的績效文化，因為沒有哪個「首腦人物」願意在別人面前丟人現眼，每個人都希望在同儕和上司面前有好的表現。透明魚缸使得能力不足的分局長無法再掩飾自己的缺點，把管區治安不佳的問題推給鄰近管區，因為所有分局長都齊聚一堂，隨時可以反駁。事實上，各分局長在掃蕩犯罪策略會議中接受質詢的照片，就印在會議資料封面，強調分局長必須為管區治安負責。

同理，魚缸式管理也能讓表現傑出的人，因為本身管區治安良好或協助其他管區，獲得應有的讚賞。在布萊登上任之前，分局長很少全體一起開會，這種會議也讓他們有機會比較彼此的經驗。經過一段時間後，各分局長也開始仿效布萊登的做法，往下推行魚缸管理法。由於執行策略的績效受到公開檢視，因此提高分局長的動機，嚴格敦促屬下確實執行新策略。

　　但是，魚缸式管理要發揮效用，公平程序必須成為組織的慣例。所謂公平程序意指，讓所有相關人員參與決策，向他們說明組織做成這些決定的根據，以及日後升遷或調職的依據，並對員工績效訂定明確目標。在紐約市警局的掃蕩犯罪策略檢討會議中，沒有人能夠抗議程序不公平。單位主管都得接受魚缸檢驗，績效評估，評估結果與升遷或降級的處理都非常透明。每次會議都會明確設定績效目標。

　　公平程序顯示出，組織雖然必須進行改革，可是領導人還是很重視員工的想法和感受，並提供公平的衡量標準。當企業試圖做重大策略改變時，員工心裡難免產生猜忌懷疑，而公平程序能夠大幅減緩這種負面情緒。公平程序的緩衝，加上魚缸管理法強調賞罰分明，兩者能共同敦促員工，在變革的旅途中支持他們，這也展現出管理者充分尊重員工的想法和感受。（關於公平程序及其影響，請見第八章。）

化整為零

　　最後一個槓桿因素就是化整為零（atomization）。這關乎如何架構策略挑戰，也是引爆點領導人最精微

而敏感的任務。除非人們相信領導人提出的策略挑戰
確實能夠達成，否則改革不可能成功。一開始，布萊
登對改善紐約治安的萬丈雄心受到各方質疑。誰敢相
信有人能把這麼龐大的一個城市，從全美國最危險的
地方，變成最安全的地方？又有誰願意投入時間精
力，追求這不可能的夢想？

　　為了把艱巨挑戰轉化成可以達成的目標，布萊登
把問題分解成許多小單位，讓不同階層的警察能夠與
這些單位問題產生關聯。布萊登指出，紐約市警局面
對的挑戰，是「一個街廓又一個街廓、一個管區又一
個管區，一個區又一個區」，逐步回復全紐約街道的安
全。這種架構使警方面對的挑戰涵蓋整個城市，但又
不會超出他們的能力範圍。對街頭巡警而言，他們的
挑戰就是維持巡邏範圍的安全；對各管區警長而言，
他們的挑戰就是維護本身轄區的安全；對各區警長而
言，他們的目標明確，也在能力範圍之內：維持區內
安全，除此之外沒別的。誰都不可能抱怨上級的要求
過分，也不可能宣稱眼前的目標超過能力所及。布萊
登就是用這種方式，把執行藍海策略的責任，分給紐
約市警局3萬6000名警察共同承擔。

　　你是否試圖動員組織裡的每個人，想要各別擊破？還是針對一些關鍵影響人物下功夫？你是否根據公平程序，把這些關鍵首腦放進魚缸裡加以操控管理？還是只顧著要求高績效，然後暗自祈禱下一季出現好成績？你是提出宏偉的策略願景？還是把任務化整為零，讓各階層都有能力達到自己的目標？

克服政治阻力

　　年輕和專業絕對能夠勝過年資和權謀，對不對？大錯特錯。再聰明優秀的人才，都經常栽在政治、詭計和陰謀下。組織政治是企業和公眾生活中不可避免的現實。即使組織已達到執行新策略的引爆點，仍會有勢力強大的既得利益份子抵制即將推動的變革（請參考第六章對於推行障礙的討論）。若是變革已經勢不可擋，這些內在和外在的反撲力量就愈強烈，試圖保護既有地位。這種反彈可能會嚴重損害策略執行程序，甚至導致前功盡棄。

　　為了克服這些政治勢力，引爆點領導人會專注於

三個槓桿因素：運用天使、制伏惡魔、爲管理團隊網羅智囊。「天使」是指可以從策略變革中獲得最大利益的人。「惡魔」是那些會損失最多利益的人。「智囊」則是政治手腕高明，而又極受敬重的自己人。他們能預知各種狀況，包括有哪些人會跟你作對，哪些人會給予支持。

網羅智囊

　　多數領導人會專注於建立功能強大的高階管理團隊，找來行銷、作業和財務等領域的人才。但是，引爆點領導人還會網羅一種其他主管鮮少想到的人才：智囊。例如布萊登組成的高層團隊中，一定會有個極受敬重的資深成員，這個人知道新策略推動時，會碰到哪些地雷。在紐約市警局，布萊登指派約翰·提莫尼（John Timoney，現爲邁阿密警察總局長）擔任他的副手。提莫尼是警界菁英，對紐約市警局忠心耿耿，得過六十多個獎章和戰鬥十字勳章，極受同僚敬畏。任職警界二十多年的提莫尼，不僅對所有重要人物瞭若指掌，對他們的政治手段也一清二楚。提莫尼最初的任務，就是向布萊登報告高級幕僚可能對新策

略採取什麼態度，並點出可能抵制或暗中扯後腿的角
色。這導致警方管理班子出現大搬風。

利用天使，制伏惡魔

為了克服政治阻力，你也必須探討下列問題：

● 誰是我的惡魔？誰會跟我作對？有誰會因為未
　來的藍海策略遭受最大損失？

● 誰是我的天使？有誰必定會站在我這邊？誰會
　因為策略轉變獲得最大利益？

不要孤軍奮戰，應該盡力爭取更高層和更廣泛的
支持聲浪。辨認敵友，不要理會中間分子，並試圖為
兩者創造雙贏。但是，動作要快。戰鬥尚未展開前，
就必須與你的天使建立更廣泛的聯盟，孤立你的敵
人。這將使你一開始就掌握高昂氣勢，讓敵人銳氣大
挫，難以應戰。

布萊登為警方擬定的新策略，面對來自紐約法院
最嚴重的阻撓。法院系統認為，布萊登致力於對付影
響生活品質的罪行，會導致賣淫和公共酗酒等小型罪

案大幅增加，使司法體系難以應付，因此強烈反對這項策略轉變。為了克服這種阻力，布萊登向市長、地區檢察官、獄政主管等支持者強調，司法系統絕對有能力處理這些增加的案件；而且，加強取締這些罪行，長期下來會減少犯罪，減輕法庭的負擔。市長因此決定出面干預。

布萊登的盟友在市長領導下，從媒體下手，傳達一項簡單明瞭的信息：如果法庭不克盡職守，紐約市的犯罪率就不可能下降。結果，布萊登、市長辦公室和紐約市主要報紙共同聯手，成功孤立法院系統。布萊登的計畫不只能把紐約市變成更吸引人的居住環境，最後也將減少提交法院處理的犯罪案件，在這種情況下，法院絕對不敢公然反對這項計畫。市長在媒體嚴正陳詞，強調對付影響生活品質罪行的必要，紐約市最受敬重的自由派報紙也支持新策略。這麼一來，要對抗布萊登的策略，勢必付出昂貴的代價。最後，布萊登贏得這場政治戰役：法院願意合作。他也贏得這場治安戰爭：犯罪率確實下降了。

要制伏你的敵手或惡魔，關鍵在於掌握他們所有可能的攻擊角度，並根據無可辯駁的事實和理由反

擊。例如，紐約市各警局分局長最初在面對必須提出
詳細犯罪資料和圖表的要求時，強烈抗議，辯稱作業
太花時間。布萊登早就料想到會有這種反應，因此他
自己先測試過，了解這些作業需要花多少時間。他告
訴這些分局長，他們每天頂多只要花十八分鐘就可以
交差，不到分局長平均工作負擔的百分之一。他利用
這種無法辯駁的資料，克服政治障礙，戰事還未展
開，就先打贏了這一仗。

你的高級管理團隊是否有位智囊，一位極受敬重的
內部成員，還是只有財務長和其他領域的人才？你是否
清楚有誰會反對新策略，有誰會支持你？你是否與盟友
聯合包圍反對者？你是否讓智囊先消除主要地雷，讓你
不必花太多心力對付那些不願也不會改變的人？

挑戰傳統思維

正如圖 7-3 所示，組織變革的傳統理論著眼於改變
大眾。因此，一般在推動變革時，重心會放在大眾身
上，而這麼做需要龐大的資源以及長期規畫，但少有

> 要贏過你的敵手或惡魔，關鍵在於掌握他們所有可能的攻擊角
> 度，並根據無可辯駁的事實和理由反擊。

圖表 7-3

傳統思維 v.s.引爆點領導

傳統思維

多數員工

公司

組織變革理論著眼於改變大眾。因此，一般在推動變革時，重心會
放在大眾，而這麼做需要龐大資源和長期規劃。

引爆點領導法

極端者　　　　　　　　　　　　　　　　　　　極端者

公司

為了改變大眾，它專注於改變公司極端者，也就是對績效產生高度
槓桿影響的人員和活動，以低成本落實新策略。

主管具備這種奢侈。相形之下，引爆點領導卻反其道
而行。為了改變大眾，它專注於改變極端者，也就是
對績效具有高度槓桿影響的人員、行動和活動。藉著
改變極端者，引爆點領導人得以事半功倍，迅速改造
核心大眾，落實他們的新策略。

　　要執行策略變革絕非易事，要用有限資源迅速達
到目標更是困難。但是，我們的研究顯示，利用引爆
點領導確實可以做到這點。藉著消除妨礙策略執行的

阻力,專注於牽一髮動全身的槓桿因素,你也可以克服障礙,實現策略變革。不要遵從傳統思維,並非每一種挑戰都需要大規模的行動因應。專注於具有高度影響力的槓桿因素,是實現藍海策略的重要領導要訣,也能讓員工的行動與新策略合一。

下一章將深入討論,在執行新策略的過程中,如何建立信任、使命感和自動自發合作的文化,領導人如何贏得支持,使眾人能在意志和感情上完全配合新策略。這項挑戰點出強制執行以及自動自發的差異。

第8章

把執行納入策略

背離傳統思維的藍海構想，
推動時難免遭遇內部阻力。
本章針對與員工態度行為的
「管理風險」（management risk），
以公平程序激發組織成員的使命感，
讓他們自動自發，促進策略執行。

　　企業不只有高級管理階層，也不只有中級管理階層。企業是由管理高層到第一線作業的每一個人所組成的。策略必須獲得組織的所有成員配合和支持，不論處境順逆都是如此。這麼一來，整個企業才能成為卓越而一貫的執行者。要做到這點，克服組織障礙是執行策略過程的重要步驟，因為再好的策略，都可能碰到阻力而難以推動。

　　但是，到頭來企業仍然必須開啟最根本的行動基礎，也就是組織內部人員的態度和行為。你必須建立具備信任和使命感的文化，激勵人員執行大家同意的策略，所謂「同意」不是表面同意，而是衷心支持。員工必須出於理性和情感配合新策略，發自內心接受該策略，自動自發地合作，而不是靠強制執行。

　　就藍海策略而言，這種挑戰更加艱鉅。要求員工脫離習以為常的領域，改變以往的作業方式，難免會讓他們心生疑懼。他們會懷疑，做這種改變的真正原因何在？高級管理階層宣稱要經由改變策略方向，開創未來的成長，這是真心話嗎？或者只是藉此把我們變成冗員，裁撤我們？

　　距離高層核心愈遠的人，參與新策略擬定程序的

【藍海策略第六個原則：企業一開始就必須將執行與策略整合，建立各級員工的信任和使命感，達成自動合作。】

機會愈少，因此他們心中的猜疑會比較強烈。第一線人員，也就是必須日復一日執行策略的基層員工，可能會不滿上級無視他們的想法和感受，就強迫他們接受新策略。正當你自以為一切順利的時候，第一線可能突然出現嚴重問題。

　　這就得談到藍海策略的第六個原則：企業一開始就必須把執行納入策略，以建立各級員工的信任和使命感，促使他們自動自發地合作。這個原則讓企業得以把員工缺乏信任、拒絕合作，甚至發動杯葛的風險，減少到最低。在執行紅海策略和藍海策略時，都可能遭遇這種管理風險，可是這在藍海策略尤為嚴重，因為執行藍海策略經常需要做出重大變革。因此，企業在執行藍海策略時，盡可能減少這種風險是至為重要的。在擬定和執行策略的程序中，公司不能只用「棍子與胡蘿蔔」這種尋常的獎懲手法，而是必須力求公平。

　　我們的研究顯示，公平程序是決定藍海策略行動成敗的重要變數。程序公正與否，直接衝擊到企業的執行力。

執行力殺手：程序不公

以一家製造液態冷卻劑提供金屬加工之用的全球領導企業為例。姑且稱之魯柏企業（Lubber）。金屬加工業有許多不同的製程參數，因此要在數百種複雜的冷卻劑中選擇適用的種類。選擇正確的冷卻劑是非常精密的程序。訂購前，冷卻劑必須先在生產機器上進行測試，而最後的採購決定經常是憑著概略的判斷，而不是嚴謹的評估。結果，機器動不動就得停機，測試冷卻劑也得花錢，魯柏和它的客戶都必須為此負擔高昂的成本。

擬定策略時，如果能顧及公平程序，大家便能信賴作業環境的公平性，而自動自發地合作，並執行根據該程序所擬定的策略決定。

為了提供顧客價值躍進，魯柏公司擬定了一套策略，以消除試用階段的複雜程序和費用。它利用人工智慧科技，發展出一套專門的系統，把選擇冷卻劑的失敗比率，從50%的業界平均值，降到10%以下。這個系統也可以減少機器停機的時間，簡化冷卻劑的管理程序，提高產品的整體品質。這套系統還能大幅簡

化魯柏公司的銷售程序，使銷售人員有更多時間開拓
新業務，並降低每一筆生意的成本。

然而，這項創造雙贏的策略行動，一開始就注定
失敗。失敗的原因並非策略不高明，也不是該套專門
系統效果不佳；事實上，這套系統的成效非常好。這
項策略之所以行不通，是因為銷售團隊的抵制。

銷售團隊沒有參與策略擬定的程序，也沒有參與
評估策略改變的論據，而銷售人員對專門系統的看
法，也出乎設計團隊或管理團隊的意料。銷售人員認
為，這個系統直接威脅他們最重要的功能，那就是在
試用階段從大批產品選項中，找出適用的冷卻劑。他
們根本不理會專門系統提供的絕佳利益，諸如免除他
們工作最麻煩的部分，讓他們有更多時間爭取更多生
意，以及超越同行，並贏得更多合約。

由於銷售團隊感受到威脅，經常質疑專門系統對
顧客的效益，而反對該系統，銷售業績也未顯著增
加。管理部門嘗到苦頭後，責怪自己的傲慢輕忽，並
體認到，要因應管理風險，一開始就要擬定適當程序
的重要性。他們被迫從市場撤回專門系統，並回過頭
來與銷售團隊重新建立互信。

公平正義的力量

那麼，公平程序（fair process）究竟是怎麼回事？
它如何讓企業把執行納入策略？長久以來，已有無數
作家和哲學家探討過公平正義。但是，公平程序的直
接理論來源，可以追溯到約翰·蒂伯（John W. Thibaut）
和羅倫斯·沃克（Laurens Walker）這兩位社會學家。
他們在 1970 年代中期，把他們對公平正義心理學的興
趣，與對程序的研究加以結合，創造出「程序正義」
（procedural justice）[1] 一詞。他們把焦點放在法律層
面，試圖了解人之所以信任法律系統，民眾不必外力
強迫，就自動自發遵守法律的因素何在。他們的研究
確定，除了結果本身，民眾同樣關心導出結果的程序
正義。程序正義發揮時，民眾對結果的滿意程度，以
及他們遵守結果的信念，都會提升[2]。

公平程序是我們把程序正義理論應用於管理方面
的用語。就像在法律面，公平程序從一開始就能創造
人們的接受心理，而把執行納入策略。擬定策略時，
如果能顧及公平程序，大家便能信任作業環境的公平
性，而自動自發地合作，並執行根據該程序所擬定的

策略決定。

　　以機制推動執行，大家只管敷衍了事，得過且過。自願合作卻讓人放開視野，除了本身的職責之外，也願意主動花精神做更多事情，充分發揮本身的

圖表 8-1

公平程序如何影響人的態度和行為

策略擬定程序　⟶　公平程序
　　　　　　　　　　參與
　　　　　　　　　　解釋
　　　　　　　　期望透明化

態度　⟶　信任和使命感
　　　　「我的意見受到重視。」

行為　⟶　自願合作
　　　　「會超越職責的起碼要求，達成更好更多。」

策略執行　⟶　超越期望
　　　　　　　自動自發

能力，努力執行機構擬定的策略，甚至把私人利益放在其次[3]。圖表 8-1 顯示我們在公平程序、人員態度和行為方面觀察到的因果關係。

公平程序 3E 原則

公平程序包含三個相輔相成的要素：參與（engagement）、解釋（explanation）、期望透明化（clarity of expectation）。不論是高級主管，或是銷售人員，都重視這些因素。我們稱之為「公平程序的 3E 原則」。

「參與」意指邀請員工參與表達意見，准許他們針對彼此的想法和建議進行辯論，讓他們參與會影響其工作的策略決定。鼓勵參與表示管理階層尊重個人和群體的意見。鼓勵辯論則會讓每個人的思慮更敏銳，讓群體智慧更上層樓。鼓勵參與能夠促使管理階層做出更好的策略決定，也能加強該決策所有相關執行人員的使命感。

「解釋」意指每個參與決策和受到決策影響的人，

都應該瞭解最後的策略決定是如何做成的。解釋做成決定背後的理念，能讓人們相信經理人確曾考慮他們的意見，並為公司整體利益做成毫不偏頗的決定。解釋決策的做成能讓員工信任經理人的意圖，即使他們自己的意見沒有獲得採納。這是個強而有力的回饋循環，也能夠強化學習。

「期望透明化」意指，決定策略後，經理人必須明白宣示新的遊戲規則。雖然公司的期望可能很嚴格，也應該讓員工一開始就知道，他們將根據什麼標準接受評判，以及萬一失敗會受到什麼懲罰。新策略的目的是什麼？新目標和各階段任務又是什麼？誰負責做什麼？要達到公平程序，新目標、期望和責任的性質還在其次，更重要的是讓員工明確瞭解這些要點。一旦大家明確瞭解公司對他們的期望，就可以把政治運作和偏私減少到最低限度，讓大家專注地迅速執行新策略。

公平程序的判斷依據一定是這三個標準共同形成。這點非常重要，因為缺少三者中任何一項，都不能產生公平程序。

案例:雙廠記

　　公平程序的 3E 原則如何發揮效益,在組織深處影響策略執行?在此以一家電梯廠商的經驗爲例,姑且稱之爲愛科公司。1980 年代末,電梯業生意銳減。辦公室過剩,美國一些大城市的辦公室空屋率高達 20%。

　　面對國內需求減少,愛科公司展開行動,試圖提供顧客價值躍進,同時降低自身的成本,以刺激新需求,並從同業競爭中脫穎而出。在創造和執行藍海策略的過程中,愛科體認到,它必須用單元式生產(cellular approach),取代成批製造系統(batch-manufacturing system),讓自主團隊發揮更卓越的績效。管理團隊同意這項方針,並準備付諸實施。爲了執行新策略的重要措施,管理班底採用表面上看起來最快速明智的方法。

　　它準備先在愛科的卻斯特(Chester)工廠推行新生產系統,然後推展到高地公園(High Park)的第二座工廠。這樣的思考脈絡很容易理解。卻斯特工廠的勞資關係非常融洽,員工甚至自動解散工會。管理階層相信這些員工會自動自發地合作,執行改變製造方

【員工即使不喜歡公司的決定，但他們要是覺得受到公平對待，就會願意執行新的生產程序，這正是新策略的成敗關鍵。】

法的策略。就如公司所謂：「他們是理想的工作團隊。」接下來，愛科將在高地公園工廠推動新製程。高地公園工廠強大的工會很可能會抗拒任何改變，而管理階層希望卻斯特工廠的表現，能夠產生某種執行動能，對高地公園工廠發揮一些正面的影響。

這套說法言之成理。但是，開始執行後，卻遭遇意想不到的麻煩。卻斯特工廠引進新生產程序不久，就出現混亂和強烈反彈。幾個月內，工廠作業成本和生產品質都一塌糊塗。員工開始談論要恢復工會。面對局面失控，工廠經理手足無措，只得向愛科的工業心理學家求助。

相形之下，高地公園工廠雖然有桀傲不馴的惡名，卻坦然接受生產程序的策略改變。高地公園廠的經理每天都提心吊膽，等待預期的風暴出現，可是一直平靜無波。員工即使不喜歡公司的決定，可是他們覺得受到公平對待，因此願意參與新生產程序的快速導入，而該程序是公司新策略成敗關鍵所繫。

進一步探討這兩座工廠對改變策略的做法，可以看出何以會有這種與預期截然不同的結果。在卻斯特工廠，愛科經理人完全違反公平程序的三個基本原

則。第一,他們沒有讓員工參與直接影響工作人員的
策略決定。由於對單元式生產缺乏專業技能和瞭解,
愛科找了一家顧問公司爲轉換進行總體規劃。這些顧
問奉命迅速完成作業,而且盡可能不要干擾到員工,
以迅速順暢地完成轉換。這些顧問切實遵照指示。卻
斯特員工到工廠上班,一眼就看到這些穿深色西服、
白襯衫、打領帶,裝扮與工人完全不同的陌生人。爲
了避免干擾作業,顧問人員根本不與員工交談,悶不
吭聲地在員工背後觀察、做筆記、畫圖形。工廠流言
四起,傳聞這些人在員工下班後,待在工廠裡到處視
察,檢查每個工作站,激烈討論。

在這段期間,工廠經理經常到愛科總部與顧問人
員會談,待在工廠的時間也愈來愈少。他們故意不在
工廠進行這些磋商,以免干擾員工。但是,工廠經理
老是不在,造成了反效果。員工愈來愈焦慮不安,懷
疑領導人有意拋棄他們,謠言滿天飛。大家都相信,
這些陌生的顧問是來精簡工廠,而員工很快就會丟掉
飯碗。工廠經理動不動就失蹤,又不說明理由,顯然
有意躲避他們。他們認爲,這種情況只有一個解釋,
那就是公司管理階層有意對付他們。卻斯特工廠的信

【只要落實公平程序，最糟的員工也能變成最好的合作夥伴；因為他們的信任由此建立，所以自願執行最困難的策略轉變。】

任和承諾幾乎蕩然無存。

過沒多久，就有員工把剪報帶到工廠，顯示美國各地企業在顧問協助下關閉工廠的消息。員工認定管理階層正私下進行精簡程序，準備裁員，而他們很快就會失去工作。事實上，愛科管理階層根本無意關閉工廠。他們只是希望減少浪費，讓員工用更低廉的成本和更快的速度，製造品質更好的電梯，以超越競爭對手。但是，工廠員工對此毫無所悉。

卻斯特工廠的經理人也未向員工解釋公司為什麼做這些策略決定，以及這對員工的職涯和工作方法有什麼影響。管理階層只召集員工開會三十分鐘，宣布改變生產方式的總體規劃。員工聽到他們長久以來的作業方式將被廢除，而要以所謂「單元化生產」取代。沒有人向他們解釋，為什麼需要做這種策略變革，公司為什麼需要擺脫競爭，刺激新需求，以及改變生產程序為什麼是新策略的關鍵要素。員工目瞪口呆地坐著，根本不了解這種改變背後的邏輯思考。管理人員誤以為這表示大家接受新計畫，忘記自己在過去幾個月花了多少時間，才適應改用單元式生產以執行新策略的想法。

　　管理階層根據總體規劃，迅速重新調整工廠配置。員工詢問這些新配置的目的時，答案總是「增加效率」。經理人沒有功夫向他們說明，為什麼必須提高效率，也不希望員工擔心。但是，對切身發展缺乏瞭解，一些員工上班時開始感到不快。

　　經理人也忽略了要向員工說明，在新生產程序下，他們對員工有何期望。他們只通知員工，今後工作人員不再根據個人表現決定績效，而將根據整個小組的表現打考績。他們表示，動作較快或較有經驗的員工，必須分攤動作較慢或較生疏的員工的工作量。但是，他們沒有說明為什麼要這樣做，也沒有向員工說明新的單元式生產系統如何運作。

　　管理階層違反公平程序的原則，嚴重損害員工對於轉變策略，以及對管理階層的信任。事實上，新的單元式生產設計對員工大有助益，例如更容易安排休假，也使員工有機會擴大技能，並參與各種不同的作業。但是，員工只看到不好的一面。他們開始彼此傾吐恐懼憤怒的情緒。員工拒絕協助他們所謂「不能完成分內工作的懶人」，或把別人的協助視為多管閒事，回以一句「這是我的工作，你管好自己的事就好」，結

果工人動不動就打架。

　　卻斯特的模範人力四分五裂。工廠經理第一次碰到員工抗命，拒絕接受分派的任務，甚至宣稱「你把我開除好了」。他們覺得無法再信任原來甚孚眾望的工廠經理，因此開始繞過他，直接向總部投訴他們的不滿。由於沒有公平程序，卻斯特工廠員工拒絕接受轉變，拒絕執行新策略。

　　相形之下，高地公園工廠管理班底在推動策略轉換時，便切實遵行公平程序的三個原則。顧問人員一出現，工廠經理就向所有員工介紹他們的身分和任務。管理團隊也舉行一系列的全廠會議，讓員工參與。公司主管在會中公開談論這一行日益艱困的業務情況，因此公司必須改變策略方針，從競爭中脫穎而出，並用更低成本達到更高價值。他們說明他們視察過其他公司的工廠，親眼見到單元化作業可能為生產程序帶來的利益。他們解釋這種情況對公司達成新策略的能力，何以是最關鍵的決定因素。他們宣布一項積極回應政策，以安撫員工對裁員的恐懼。廢除了過去衡量績效的標準，經理人與員工合作擬定新標準，並為每一個小組訂定新的責任範圍。他們把新策略的

目標和期望，都向員工解說得一清二楚。

　　由於同時推動公平程序三原則，管理團隊贏得高地公園員工的諒解和支持。員工以敬佩的語氣談論他們的工廠經理，對愛科經理人執行新策略，改用單元化生產所遭遇的困難表示同情。他們做成結論，認為變革有其必要、值得一試，也認為這是個正面經驗。

　　愛科的經理人至今談到這段經驗，仍感到不堪回首。從這件事，他們學到了，第一線員工與高級階層同樣關心適當的程序。推出新策略時，若是違反公平程序，可能把最好的員工變成最可怕的敵人；管理階層仰賴員工執行策略，但卻引發這些人的不信任和抗拒。但是，只要經理人落實公平程序，最壞的員工也可能變成最好的合作夥伴；因為他們的信任由此建立，所以他們會自願執行最困難的策略轉變。

公平程序何以重要？

　　公平程序對塑造態度和行為為什麼這麼重要？說得明確一點，在制定策略時，遵守或違反公平程序，

為什麼能夠促成或破壞策略的執行？追根究柢，這關乎理智上和情感上的認同。

在情感上，個人會尋求本身價值的認同，不希望別人把他們當成「勞工」、「人員」或「人力資源」，而是有血有肉的個體。不論階級高低，他們都希望獲得尊重、擁有尊嚴、個人價值受重視。在理智上，個人也尋求獲得認同，希望別人徵詢並考慮自己的想法，也希望別人重視他們的知性能力，向他們說明自己的想法。我們進行訪談時，經常聽到「我認識的每個人都這樣想……」，或「每個人都希望感受到……」。他們不斷提到「大家」和「做為一個人」，這些詞彙強烈顯示，經理人必須體認公平程序在理智面和感情面所傳達的認同，近乎普世價值。

理智與情感認同

在制定策略的過程中遵循公平程序，這點與理智和情感認同密切相關。公平程序以具體行動展現，決策者渴望信任，並重視個人，也對個人的知識、才幹

和專長深具信心。

　　個人感到自己的知性價值受到認同時，他們會樂意分享自己的知識；事實上，他們會感到振奮，希望不會辜負別人對自己知性價值的期許，因此願意主動分享意見和知識。同理，個人情感得到認同時，他們會自覺與策略休戚相關，並願意傾力付出。事實上，美國心理學家赫茲伯格（Frederick Herzberg）對動機的經典研究發現，「認同」能夠引發強烈的內在動機，讓人願意超越份內的工作範圍，出於自願合作[4]。因此，公平程序所傳達的理智和感情認同愈高，人們愈願意發揮自己的知識和專長，發揮自願合作的精神，以執行策略，促成組織的成功。

　　而事情的另一面同樣值得我們注意，那就是違反公平程序，並因此違反對個人理智和感情價值的認同時，我們所得到的思想和行爲型態。總結來說，如果不以重視個人知識的方式對待人們，他們在理智上會感到氣憤，也不願分享自己的想法和專長；相反的，他們會把最好的點子和創意藏起來，拒絕透露獨特創見。此外，他們也會否定別人的理性價值。他們彷彿在宣稱：「你不重視我的想法，所以我也不重視你的

> 個人的知性價值受到認同時，會樂意分享自己的知識；他們也
> 不希望辜負別人的期許，因此願意主動分享意見。

想法，我也不信任、不在乎你們的策略決定。」

　　同樣的，人的情感價值如果不受重視，他們會感到氣憤，做起事來無精打采。就像愛科的卻斯特工廠員工一樣，他們會拖延阻撓，採取反制行動，包括蓄意破壞。這種情況經常導致員工要求公司收回成命，拒絕接受上級強制執行的策略，雖然這些策略本身非常高明，而且關係公司未來的營運成敗，或是能為勞資雙方帶來重大利益。策略擬定程序若是缺乏信任，也會讓人對這種方式做成的策略缺乏信任。公平程序能夠引發的情感力量就是這麼強大。圖 8-2 顯示我們觀察到的因果型態。

圖表 8-2

擬定策略是否符合公平程序對執行作業的影響

使命感強化執行力

使命感、信任和自動自發不僅僅是態度或行為，它們是無形的資產。一旦懷有信任，就會對彼此的意圖和行動更有信心。如果員工懷有使命感，他們甚至願意排除個人私利，全力促進公司的利益。

任何一個創造並成功地執行藍海策略的公司，它的經理人都能夠迅速列舉出一大堆事實，說明這種無形資產對他們的成就是何等重要。同樣的，執行藍海策略宣告失敗的公司，經理人也會指出，缺乏這種資產如何導致他們失敗。這些公司無法推動策略變革是因為，他們沒有讓員工懷有信任和使命感。員工的使命感、信任和自動自發，讓公司能以超乎尋常的速度、品質和一貫性，以低廉成本迅速執行並落實策略變革。

企業的難題在於如何在組織內部建立信任、使命感和自動自發的精神。如果硬是把擬定策略的程序獨立於執行之外，絕不可能做到這點。兩者互不相干、獨立進行的情況，很可能是大部分公司擬定策略的標

準做法，但這卻也是策略之所以窒礙難行、效果不彰，頂多只能讓員工機械式地聽命行事的根源。當然，傳統的權力和金錢的獎懲（胡蘿蔔和棍子）還是有點效果。但是，它們無法激勵員工，讓人們超越結果導向的自利心態。在無法切實監督員工行為的地方，仍然留有許多拖延誤事和蓄意破壞的機會。

推行公平程序可以避免這種困境。符合公平程序三原則的策略制定程序，可以一開始就把執行納入制定策略的過程。透過公平程序而擬定的策略，員工通常會堅定支持，即使他們覺得該策略不利於自身部門，甚至與他們認定的正確策略有所衝突。員工會體認到，要建立強大的企業，必須安協和犧牲。他們接受個體短期犧牲的必要，以促進公司的長遠利益。但是，必須有公平程序，他們才會願意犧牲和安協。各家企業執行藍海策略的情況不一，有些是與合資夥伴外包某些製程，有些是重新定位銷售團隊，有些是改造生產程序，有些則是把公司的電話客服中心從美國轉到印度。但是，不論是哪一種情況，我們都觀察到公平程序的影響力無所不在。

藍海策略

第9章

藍海生生不息

藍海策略的強大潛力，
在於提高模仿門檻，阻止競爭者跟進；
以及適時價值創新，
讓企業持續創造全新市場。

開創藍海並非靜態成就，而是個動態過程。企業一旦創造出一片藍海，而策略的強大績效傳揚開來，遲早會有人起而效法。問題在於，這些模仿者什麼時候會出現？換言之，模仿藍海策略的難易程度如何？

隨著藍海策略的先驅企業以及率先模仿者成功，並擴展這片藍色海洋，會有更多同行先後跟進。這種發展必然引發一個相關問題：企業何時應跨該出腳步，創造另一片藍色海洋？在結論這一章，我們就來探討藍海策略的持續和更新。

提高模仿障礙

藍色海洋策略本身即具備相當的模仿障礙。有些障礙屬於作業層面，有些則屬於認知層面。藍海策略通常能夠維持十至十五年，而不致於碰到具威脅力的挑戰。太陽馬戲團、西南航空公司、聯邦快遞、家庭貨棧、彭博、CNN 都是明顯的例子。這種持續力可以追溯到以下這些藍海策略固有的模仿障礙：

【一旦你的價值曲線開始趨近於競爭對手，就表示你應該設法開啓另一片藍色海洋。】

- 價值創新行動與傳統策略邏輯格格不入。例如，CNN剛開播時，NBC、CBS和ABC認爲這種沒有明星主播，而且每週七天、每天二十四小時播出即時新聞的構想十分荒唐。同業譏稱CNN爲「雞湯麵新聞網」（Chicken Noodle Network，縮寫同樣是CNN）。固有成見阻絕快速模仿。

- 由於品牌形象衝突，同行無法跟進。例如，美體小舖摒棄美麗的模特兒、昂貴包裝，也不保證內在美和青春永駐。這種藍海策略使全球各大化妝品公司，多年來一直無法有所回應，因爲跟進模仿代表否定現有經營模式。

- 市場規模無法容納其他業者，形成自然壟斷，杜絕模仿。例如，比利時電影院坎波里公司（Kinepolis）在布魯塞爾設立歐洲第一個超大型多廳電影院，生意鼎盛，15年來沒有同行跟進；因爲布魯塞爾的城市規模只能容納一家多廳電影院，如果出現模仿者，會兩敗俱傷。

- 專利權或法律許可阻絕了模仿。

- 價值創新帶來的龐大業務量，迅速導致成本優

勢，使潛在模仿者一直處於成本劣勢。例如，沃爾瑪商店在採購上的龐大規模經濟效益，對於想跟進的同行，發揮了強大的遏阻作用。

● 網路外部性使得同行難以成功模仿藍海策略。eBay 在網路拍賣市場享有的優勢，就是最明顯的例子。ebay 的顧客愈多，它的拍賣網站對有意出售和購買貨品的人，吸引力就愈大，因此買家不會輕易轉移到其他類似網站。

● 有意模仿對手的企業，經常必須大幅改變現有模式，因此引發政治角力；公司仿效藍海策略的信念因此延宕，難有結果。例如，西南航空創造出新式服務，用開車的成本和彈性，提供搭機旅行的速度。其他業者如要模仿這種藍海策略，必須大幅調整航線、重新訓練員工、改變行銷和定價方式。更重要的是，企業文化也得徹底改變。所有企業的內部政治結構，幾乎都無法在短期內承受這些重大改變。

● 一家企業提供價值躍進時，它創造的品牌會迅速贏得廣泛迴響，在市場吸引大批忠實顧客。積極模仿的同行即使花再多錢大肆宣傳，都很

> 藍海策略是一種系統式的做法，策略的個別要件不僅要正確，各要件組合起來也必須是個完整的系統，以提供價值創新。

難超越創新品牌掌握的雄厚人氣。例如，微軟公司想盡各種辦法，想要壓倒直覺公司價值創新的理財軟體「快捷」。微軟花了十年以上的功夫，使盡各種手段，不知砸下多少本錢，「快捷」的地位依然屹立不墜。

表9-1簡要呈現這些模仿障礙。正如這個圖表所顯示，要克服這些障礙非常困難。這就是為什麼我們難得看到藍海策略迅速出現模仿者。此外，藍海策略是一種系統式的做法，策略的個別要件不僅要正確，各要件組合起來也必須是個完整的系統，以提供價值創新。要模仿這種系統絕非易事。

圖表 9-1

藍海策略的模仿障礙

- 價值創新與傳統策略邏輯格格不入。
- 藍海策略與品牌形象衝突。
- 自然獨占：市場規模無法容納兩個業者。
- 專利或法律保護阻絕模仿。
- 龐大業務迅速帶來成本優勢，使潛在競爭者裹足不前。
- 網路外部性阻礙模仿。
- 從事模仿必須改變本身的政治、營運和文化。
- 價值創新贏得品牌迴響並吸引忠實顧客，這些人往往排斥模仿者。

適時重啓價值創新

　　但是，幾乎每個藍海策略最後都會被模仿。在跟進模仿的企業企圖搶占那片藍海時，一般企業通常會發動攻勢，保護得來不易的顧客群。但是，模仿者大多不會輕易罷休。由於一心想保住市場占有率，你可能落入競爭、拚命擊敗對手的陷阱。經過一段時間，競爭可能取代顧客，成爲你的策略思考和行動的核心。如果一直維持這種做法，價值曲線的基本形態，會與競爭對手愈來愈接近。

　　爲了避免落入硬碰硬的競爭陷阱，你必須隨時注意策略草圖上的價值曲線。持續觀察價值曲線所透露的訊息，它會告訴你是否到了展開價值創新的時刻。一旦你的價值曲線開始與競爭對手愈來愈類似，就表示你應該設法開啓另一片藍色海洋。

　　注意價值曲線，也能讓你在現有營運仍然獲利豐盈時，不致輕率改變方針，追求新的藍色海洋。只要公司的價值曲線仍然焦點明確、獨樹一幟並具備強大號召力等特性，就不應該重新創新價值，反而應該專注於改善作業方式和擴展業務範疇，以達到最大的規

【 藍海和紅海向來同時並存，因此實務上，企業在這兩片海洋都
要成功，並熟習在這兩片海洋徜徉的策略。 】

模經濟效益和市場範圍，藉以延長、擴大和深化源源
不斷的收入。你應該在這片藍色海洋盡可能施展，努
力往前游去，把自己變成市場上的移動指標，拉開與
模仿者的距離，讓同行不敢輕易跟進。這種做法的目
的在於，盡可能延長自己主宰這片藍色海洋的時間，
使模仿者難以招架。

　　一旦競爭加劇，總供給超過需求，就會開始出現
流血競爭，海洋因而轉紅。隨著競爭者的價值曲線向
你靠攏，你應該開始進行新的價值創新，以創造新的
藍色海洋。因此，藉著在策略草圖描繪價值曲線，並
不時重新描繪競爭對手的價值曲線，而且與自己的曲
線加以比較，你隨時可以看出模仿程度，了解價值曲
線趨向重疊的情況，以及你的藍海轉紅的程度。

　　例如，美體小舖主宰自己創造的藍色海洋已超過
十年。但是，它正深陷紅色海洋，業績不斷走下坡，
因為在競爭對手的價值曲線往它的曲線靠攏時，它沒
有及時警覺，重新展開價值創新。同理，黃尾袋鼠葡
萄酒正優遊於一片藍色海洋新市場。它把競爭變得無
關緊要，因此享有利益豐厚的強勁成長。但是，卡塞
拉釀酒廠能否維持有利可圖的長期成長，將取決於一

且模仿者以愈來愈類似的價值曲線，競爭態勢變得積極而具威脅力時，它有沒有能力再度進行價值創新。

每一家希望在日益擁擠的企業環境裡鶴立雞群、領袖群倫的公司，在思考未來策略時，都應該把本書對藍海策略提出的六項原則，當做基本的思考指標。公司不會停止競爭，而競爭也不會突然停止。相反的，競爭會更為迫切，也會繼續成為市場現實的重要因素。我們只是強調，要在這個過度擁擠的市場脫穎而出，績效出色，企業應該超越只顧爭奪市場占有率的心態，努力開拓藍色海洋。

藍海和紅海向來同時並存，因此實務上，企業在這兩片海洋都要成功，並熟習在這兩片海洋徜徉的策略。企業通常已經知道如何在紅海中競爭，它們真正需要學習的是如何讓競爭變得無關緊要。本書旨在平衡兩造，協助企業有系統地擬定並執行藍海策略，也能像在已知市場的紅海裡競爭一樣，也能有所行動。

附　錄

附錄 A

藍海類型簡史

　　雖然可能把事實過度簡化，我們仍在此概述美國的汽車、電腦和電影院這三種產業的歷史，檢視這三種產業推出哪些重要的產品和服務，不但開啓了新市場空間，也創造出重大新需求。這項檢視並非進行全盤討論，也無意提供鉅細靡遺的產業內幕，只是想指出橫跨各個重要藍海的共同策略因素。我們以美國企業做說明，只是因爲在我們所研究的時期，美國是最大、管制也最少的自由市場。

　　雖然這項檢視只概括介紹藍海類型的簡史，這三種具有代表性的產業都有一些顯著的特徵：

● 沒有永遠傑出的產業。在這項研究涵蓋的期間，所有產業的吸引力都出現起伏。

● 沒有永遠傑出的企業。就像產業一樣，企業也會出現起伏。這兩種發現證實、也進一步證明，沒有永遠傑出的企業和產業。

● 一項產業或一家企業是否呈現上揚走勢，成長是否強勁、有利可圖，重要的決定因素在於，是否具備創造藍海的策略行動。藍海策略對促使產業邁向獲利成長，是重要的催化劑；而一家企業是否能挾強勁的獲利成長之勢在同業中崛起，或是將領導地位拱手讓給創造出藍海的競爭者，藍海策略也是重要的決定因素。

● 一個產業既有的成員或新進業者，都可能開創藍海。在創造新市場空間方面，新企業天生較舊企業具有優勢的傳統觀念，並不見得正確。此外，既有企業創造的藍海，通常位於核心業務範疇。事實上，大多數藍海是從現有疆界形成的紅海內部創造出來的，而不是由外憑空創造的。既有企業會受到鯨吞蠶食或創造性破壞的想法，已經證明是過度誇大[1]。每一家開創藍

海的公司，都能享有獲利成長，不論它們是新
公司還是老字號。

● 開創藍海的關鍵並不在於科技創新本身。雖然
開創藍海的過程有時確實涉及尖端科技，可是
這通常不是藍海策略最重要的特點，即使在科
技密集的電腦業也是如此。相反的，藍海策略
最重要的特點是價值創新，也就是與顧客重視
的價值息息相關的創新。

● 藍海策略不僅能促成強勁的獲利成長，這種策
略對於在顧客心裡建立企業品牌，也會發揮強
大的正面效用。

現在，我們就來看看這三種代表產業，讓創造藍
海的產業歷史自己說話。我們從已經成為已開發世界
最重要交通方式的汽車業開始。

汽車業

美國汽車業的歷史可以追溯到 1893 年，杜里埃

（Duryea）兄弟在美國推出第一輛單汽缸汽車。當時馬匹和馬車還是美國主要的交通工具。汽車在美國出現後不久，全國各地就出現數百家客製化的汽車工廠。

當時汽車還是奢侈的新鮮玩意兒。有一種車型甚至在後座附有電動捲髮器，讓顧客在路上還可以修飾儀容。這些產品性能很不可靠，可是價格昂貴，一輛要1500美元左右，相當於一般家庭兩年的平均所得。它們也非常不受歡迎。反車行動份子破壞道路，用布滿尖刺的鐵絲圍住路邊停靠的車輛，並發動群眾杯葛開車的商人和政治人士。汽車引起非常強烈的公憤，連後來的威爾森遜總統（Woodrow Wilson）都在1906年出面宣稱：「汽車散播社會主義情緒的力量，少有事物可比擬……汽車本身就是富裕傲慢的象徵。」[2] 1899年，《文學文摘》（*Literary Digest*）表示：「一般的『無馬車輛』目前是富人的奢侈品；它日後可能會降價，可是絕不會像腳踏車一樣普及。」[3]

簡言之，當時的汽車市場很小，又毫無吸引力。但是，亨利・福特不相信汽車業注定如此。

T型車

1908 年，美國的 500 家汽車廠還在接受客製訂單，生產新奇的汽車。福特卻在此時推出 T 型車，並稱之為「用最好的材料為廣大群眾製造的汽車」。T 型車只有一個顏色（黑色）和一種車型。這種車性能可靠、堅固耐用、維修簡便，而它的定價也讓大多數美國人都買得起。1908 年推出的第一批 T 型車，售價 850 美元，比當時市面上的汽車便宜一半。1909 年，售價降到 609 美元。到了 1924 年，價格更降到 290 美元[4]。相形之下，馬車這種當時與汽車最接近的代用品，售價仍高達 400 美元。T 型車 1909 的宣傳小冊上寫著：「福特汽車，品質高檔，價格低廉。」

福特的成功繫於可獲利的經營模式。藉著讓產品高度標準化，只提供有限的選擇配備和共通的零件，福特推出革命性的裝配線，用一般非技術勞工取代手藝精練的工匠。這些沒有技術的工人，每個人只負責一個生產的小環節，因此作業速度更快、效率更高。製造一輛 T 型車的時間，從 21 天縮短到 4 天，所需的工時也減少 60%[5]。由於生產成本降低，福特可以壓低

售價，達到大眾市場能夠接受的價格水準。

　　T型車銷路突飛猛進。1908年，福特車的市占率為9%，1921年暴增到61%。到了1923年，大多數美國家庭都有汽車[6]。福特的T型車也使汽車業的規模大幅擴展，創造出廣大的藍色海洋。福特創造的藍色海洋氣勢是如此驚人，T型車迅速取代馬車，成為美國主要的交通工具。

通用汽車

　　到了1924年，汽車已成為家庭基本用品，一般美國家庭的財富也顯著增加。這一年，通用汽車公司推出一系列汽車，創造出一片新的藍色海洋。福特車講究實用，只有一種顏色，一種車型。通用卻推出「適合每一種財力和用途的汽車」。這是通用董事長史隆（Alfred Sloan）擬定的策略，訴諸美國大眾市場的感情層面，也就是史隆所謂的「大眾階級」市場[7]。

　　福特堅守實用的「無馬車輛」概念，通用卻讓汽車變得充滿樂趣、刺激、舒適和時髦。通用工廠推出形形色色的車型，每年都出現新的顏色和樣式。「年度車型」在市場創造出新需求，讓顧客開始經常換

車，追求時尚和舒適。由於顧客經常換車，二手車市場便應運而生。

時髦並採取情感訴求的通用汽車，市場需求直線上升。從 1926 年到 1950 年，美國每年汽車銷售總數，從 200 萬輛增加到 700 萬輛，通用車的市占率也從 20% 增加到 50%，福特車的市占率則從 50% 降到 20%[8]。

但是，這片新藍海在美國汽車業引發的飛速成長，不可能永遠持續下去。通用的業績一飛沖天，福特和克萊斯勒也相繼加入通用創造的藍色海洋。三大車廠都採取一樣的策略，每年推出新車型，設計五花八門的汽車樣式，挑動消費者的渴望情感，迎合各種生活型態和需求。隨著三大車廠的互相模仿，跟進彼此的策略，市場逐漸形成流血競爭。它們總共掌握了九成以上的美國汽車市場[9]。三大車廠都志得意滿。

省油的日本小車

但是，汽車業並未就此平靜。1970 年代，日本車創造了新的藍色海洋，用省油的小車挑戰美國汽車業。美國汽車業講究愈大愈好，追求豪華，日本車卻改變這種傳統邏輯，不遺餘力地追求品質精良、造型

小巧、極爲省油的新實用車型。

　　1970 年代，全球發生石油危機，美國消費者爭相購買本田、豐田和日產的省油又堅固耐用的日本車。日本車幾乎一夜之間成爲消費者心目中的英雄。這些小巧省油的汽車，創造出充滿商機的新藍洋，市場需求再度一飛沖天。

　　美國三大車廠只顧彼此衡量、互別苗頭，雖然它們看出這種產品的市場潛力，卻沒有一家主動推出講求實用功能的省油小車。三大車廠沒有設法另闢蹊徑，創造新的藍色海洋，反而陷入新一輪相互追趕，硬碰硬的正面競爭，只是它們的對手換成了日本車。它們開始大肆投資生產車身較小的省油車。

　　但是，三大車廠銷售量急遽降低，1980 年總共虧損 40 億美元[10]。克萊斯勒這家美國三大車廠中的小老弟，受創最重，勉強靠著政府救助，才沒有宣告破產。日本車廠發揮高效率，創造並控制著這片新的藍色海洋，美國車廠很難有力反擊；它們的競爭力和永續經營能力，都受到世界各地產業專家嚴重質疑。

克萊斯勒的廂形車

1984年克萊斯勒腹背受敵，瀕臨破產。但是，就在這個時候，它推出了廂形車，在汽車業開創一片全新藍海。廂形車打破汽車和貨車之間的界限，創造出全新車型。它比傳統貨車小，可是比旅行車寬敞，除了全家搭乘，還可以裝載腳踏車、愛犬和其他必需品，正合乎小家庭的需求。廂形車也比卡車或貨車容易駕駛操作。

廂形車採用克萊斯勒 K 型車的底盤，操作起來很像汽車，可是裡面的空間更寬敞，而且可以開進一般家庭車庫停放。克萊斯特並非率先發展這種概念的公司。福特和通用幾年前就已開始研發廂形車，可是它們擔心這種設計會損及本身的旅行車業務，結果拱手把這個良機送給克萊斯勒。廂形車推出第一年，就成為克萊斯勒最暢銷的車型，克萊斯勒得以重新站穩美國三大車廠的地位。三年內，克萊斯特光是從廂形車業務就賺到15億美元[11]。

廂形車的成功引發 1990 年代的休旅車風潮，把克萊斯勒開啓的藍色海洋推展到全新境界。利用貨車底

盤設計製造的休旅車，沿續了從轎車向實用貨車發展的趨勢。休旅車剛開始是為了在沒有道路的荒郊野外行駛，或是在陸上拖船所設計，可是由於操作有如汽車，座位和行李廂空間都比廂形車寬敞，汽車內部坐起來很舒適，加上四輪驅動、拖運能力和安全等實用功能，因此廣受年輕家庭歡迎。到了 1998 年，新式輕型貨車（包括廂形車、休旅車和小貨車）在美國的總銷售量達到 750 萬輛，幾乎趕上傳統小客車 820 萬輛的新車銷售量[12]。

正如歷史所顯示，通用和克萊斯勒創造出藍色海洋時，都已在汽車業奠定基礎。但是，這些藍色海洋大多不是由科技創新引發。它們的背後的科技都是現成；連福特革命性的裝配線，都可以追溯到美國的肉品包裝業[13]。汽車業的吸引力繼續不斷起伏，而且經常是由藍海策略所推動。汽車業各家公司的獲利成長趨勢也是如此。它們的營利和成長，與它們能否成功創造出藍海策略息息相關。

這些公司幾乎都因它們歷來創造出的藍色海洋，而在世人心中留下印象。例如，福特也有遭遇困難的時候，然而靠著一百年前創造出的 T 型車，福特品牌

在汽車業至今仍擁有崇高地位。

電腦業

　　現在來看已經成為全球各地工作場所重要裝備的電腦業。美國電腦業的發展可以追溯到 1890 年，何勒里斯（Herman Hollerith， 1860-1929）發明了打卡製表機，用於美國人口普查作業，以縮短記錄和分析資料的程序。何勒里斯的打卡製表機使人口普查製表作業時間較以前縮短了五年。

　　不久之後，何勒里斯離開人口普查局，成立製表機公司（TMC, Tabulating Machine Company），對美國和外國政府機構出售製表機。那時，何勒里斯的製表機在企業界還沒有真正的市場，企業界仍然用鉛筆和記事簿處理資料，因為這種方式既簡單、便宜又正確。雖然何勒里斯的製表機速度又快又正確，可是價格昂貴，使用困難，需要不斷維修。在專利期滿後，TMC 面對新的競爭者，加上美國政府因價格昂貴放棄TMC，讓他心灰意冷，因此把公司賣掉。TMC 後來

與另外兩家公司合併，在1911年成立CTR公司。

製表機

1914年，CTR的製表機業務規模仍然很小，也不賺錢。為了扭轉大局，CTR向全國收銀機公司（National Cash Register Company）的前主管華森（Thomas Watson）求助。華森看出製表機擁有龐大的潛在需求，可以協助企業改善控制存貨和會計作業。但是，他也體認到，在鉛筆和簿記本仍用得好好的時候，這種麻煩的新科技對於企業界而言，實在太過昂貴，使用也太複雜。

他所採用的策略，開啓了電腦業的開端。他把製表機的優點，與鉛筆和簿記本的省錢及便利加以結合。在華森主持下，CTR的製表機大為簡化和模組化，公司也開始提供現場保養，並教育和視察用戶。用戶可以得到製表機的速度和效率，又不必雇用專家訓練員工或技術人員，以修理故障的機器。

接下來，華森宣布推出製表機出租業務，不再只出售機器。這種創新之舉，建立了製表機業務的新訂價模式，一方面讓企業得以避免大筆資本開銷，又可

以隨著製表機效能改進汰舊換新。在另一方面，這種做法爲CTR帶來源源不斷的收入，也避免用戶間彼此收購舊機器。

在六年內，公司營收就增加了兩倍以上[14]。到了1920年代中期，CTR已經擁有美國85%的製表機市場。1924年，華森把CTR改名爲國際商業機器公司（IBM），以反映公司在國際市場場日漸提升的可見度。製表機的藍色海洋就此開啓。

電腦

時間快轉30年，來到1952年。雷明頓蘭德公司（Remington Rand）向人口普查局提供全球第一部商用電腦UNIVAC。但是，那一年它只賣出三台UNIVAC。藍色海洋的跡象一直沒有出現，直到IBM的華森（創辦IBM的華森之子）在這個缺乏魅力的小市場，看出尚待開發的需求。小華森體認到電腦可能在商業上扮演重大角色，並推動IBM接受這項挑戰。

1953年，IBM推出第一種商用中等規格電腦IBM650。IBM體認到，如果要企業使用電腦，機器就不能太複雜，而企業也只願意爲自己用得著的運算

能力付錢，因此 IBM650 使用更為簡單，功能比不上 UNIVAC 強大，但是 20 萬美元的定價，遠低於 UNI-VAC 的 100 萬美元。 1950 年代末，IBM 已經掌握 85% 的商用電腦市場。 1952 年到 1959 年，公司營收幾乎增加兩倍，從 4 億 1200 萬美元達到 11 億 6000 萬美元[15]。

1964 年，IBM 大肆加強擴展藍色海洋的努力，推出「System/360」。在龐大的電腦家族裡，這是第一種使用可以互換的軟體、周邊設備和套裝服務的電腦，毅然脫離傳統一體適用的單一主機設計。 1969 年，IBM 又改變電腦銷售方式，不再硬性規定硬體、服務和軟體成套出售，而把這些組件分開，個別銷售。組件個別銷售引發價值數十億美元的軟體和服務業。今天 IBM 是全球最大的電腦服務公司，也仍然是全球最大的電腦廠商。

個人電腦

1960 和 1970 年代，電腦業繼續演進。 IBM 、迪吉多（Digital Equipment Corporation）、史培利（Sperry）和其他先後加入電腦業的公司，把營運活動擴展到全球各地，並改善和擴大產品系列，增加周邊設備和服

務市場。但是，1978年，大電腦廠商仍專注於為商業市場製造更大、功能更強的機器時，蘋果電腦卻推出蘋果二號家庭電腦，創造出全新的市場空間。

與一般想法不同的是，蘋果電腦並非市面上第一種個人電腦。兩年前微儀測與遙測系統公司（Micro Instrumentation and Telemetry Systems，MITS）就在電腦玩家圈子熱烈期待下，推出 Altair 8800 個人電腦。《商業週刊》（*Business Week*）很快就把 MITS 稱為「家庭電腦的 IBM」。

但是，MITS 並未創造出藍色海洋。為什麼？它的機器沒有顯示器、沒有常駐記憶體，只有 256 個位元的臨時記憶體，也沒有軟體和鍵盤。要輸入資料，必須操作機器前方的開關，而前方面板的閃爍燈光會顯示程式執行結果。這種難用的家庭電腦無法打開市場，實在不足為奇。各方對它的期望很低，迪吉多公司總裁歐森（Ken Olsen）看到這種機器，甚至留下一句名言：「沒有人會想在家裡放一台電腦。」

兩年後，蘋果二號問世，創造出家庭電腦的藍色海洋，迫使歐森自承失言。蘋果二號大致上是利用現有科技製造而成，採用一體合成設計，所有組件都裝

在一個塑膠盒子裡，包括鍵盤、電源和繪圖，操作簡單。蘋果二號內附軟體，從遊戲到商業程式都有，例如蘋果作家（Apple Writer）文書處理器，以及VisiCalc試算表，讓龐大的顧客群有能力使用電腦。

蘋果改變了一般大眾對電腦的想法。電腦不再是科技怪才的專利，卻像汽車業的T型車一樣，成為美國家庭的普通裝備。蘋果二號誕生才兩年，蘋果電腦一年的銷售量就超過20萬台；蘋果公司問世才三年，就登上《財富》五百大企業排行榜，締造空前紀錄[16]。1980年，大約24家公司總共售出72萬4000台個人電腦，營業額超過18億美元[17]。第二年，又有20家公司加入市場，銷售量也增加一倍，達到140萬台，營業額將近30億美元[18]。

IBM最初兩年按兵不動，仔細研究市場和科技，準備推出自己的家庭電腦。1982年，IBM推出設計遠更為開放的電腦，讓外人也能設計軟體和發展周邊設備，使家庭電腦的藍色海洋急遽擴大。藉著創造出一種標準化的作業系統，其它公司也能夠製造相容的軟體和周邊組件，IBM得以壓低成本和價格，並向顧客提供更高的效益。藉由規模經濟和範疇經濟創造的優

勢，IBM 把個人電腦價位，訂在龐大顧客群負擔得起
的範圍[19]。IBM 推出個人電腦第一年，就售出 20 萬
台，幾乎達到它預定的五年計畫的目標。到 1983 年，
消費者已經購買了 130 萬台 IBM 個人電腦[20]。

康柏個人電腦伺服器

由於美國各地企業紛紛購置個人電腦，在機構內
廣為使用，因此各部個人電腦間如何連線，以從事一
些簡單而又重要的功能（包括共用檔案和印表機），這
方面的需求迅速提高。IBM650 引發的商業電腦業務，
吸引惠普（HP）、迪吉多、思群（Sequent）等許多業
者跟進。它們提供高階企業系統，執行公司的重要工
作，也提供各種作業系統和應用軟體。但是，這些機
器價格太昂貴、操作也太複雜，只用來處理共用檔案
和印表機等簡單功能，太不划算。這對中小企業尤其
明顯，因為它們需要共用印表機和檔案，可是還不需
要大肆投資，購置複雜的大型電腦。

1992 年，康柏公司（Compaq）推出 ProSignia，
使情況完全改觀，並創造出個人電腦伺服器業務的藍
色海洋。這種機器大幅簡化作業功能，並為使用最普

遍的共用檔案和印表機功能提供最大功效。它排除了與這些功能無關的各種作業系統的交互運作，這些系統從 SCO UNIX，一直到 OS/3 和 DOS。新的個人電腦伺服器，共用檔案和印表機的能量和速度，比迷你電腦主機高出一倍，價格卻只有三分之一。這種大為簡化的機器，也使康柏能夠大幅降低生產成本。康柏創造出 ProSignia 和後來的三種個人電腦伺服器，不僅助長個人電腦銷售，不到四年，個人電腦伺服器一年營業額也達到 38 億美元[21]。

戴爾電腦

1990 年代中期，戴爾（Dell）電腦公司在電腦業創造出另一片藍色海洋。電腦廠商向來競相推出速度更快、功能更強、軟體更多的電腦。戴爾卻向這種傳統邏輯挑戰，改變顧客的購買和交貨體驗。它採取直銷方式，直接賣電腦給顧客，使它的個人電腦價格比 IBM 代理商的售價便宜四成，公司卻還有利潤。

這種直銷方式對顧客更有吸引力，因為戴爾交貨空前迅速，從接單到交貨只要四天功夫，不像同行對手平均要超過十週。此外，透過戴爾網路和電話訂購

系統，顧客可以選擇自己想要的機型。這種接單客製的作業方式，也使戴爾能夠大幅降低存貨成本。

今天，戴爾已成為個人電腦銷售業公認的市場領袖，營收也從 1995 年的 53 億美元，增加到 2003 年的 355 億美元。在此期間，它在美國的市占率，也從 2%增加到 30% 以上 [22]。

就像汽車業一樣，電腦業的藍色海洋不是由科技創新本身所引發，而是藉著把科技與顧客重視的價值加以結合。就像 IBM650 和康柏的個人電腦伺服器，價值創新經常根源於簡化科技。我們也看到 CTR 、 IBM 和康柏這些老字號企業創造藍色海洋的頻率，並不遜於蘋果電腦和戴爾這些後起之秀。每一片藍色海洋，都使創造出這片海洋的公司招牌更加響亮，而且不僅為這家公司帶來財源滾滾的強勁成長，也使整個電腦業出現利潤豐厚的成長。

電影院業

現在來探討讓許多人在週末及工作之後，可以放

鬆身心的電影院業。美國的電影院業可以追溯到 1893
年愛迪生推出電影視箱。其實這只是個木盒子，在裡
面投射光線照映膠捲。觀眾透過一個窺視孔，觀看膠
捲呈現的影像，一次只能一個人觀看，因此這種表演
稱為「窺視秀」。

兩年後，愛迪生手下的工作人員發展出投射式電
影放映機，能夠把電影影像投射到屏幕上。但是，這
種投射式放映機並未造成流行。當時，只有一些雜耍
表演和劇院會在節目中，插入一段只有幾分鐘的短
片。這只是為了提升劇場最重視的現場娛樂表演的價
值，而不是特意提供另一種不同的娛樂形式。當時的
科技已足以建立電影院業，只是創造藍色海洋的構想
尚未出現。

五分錢戲院

1905 年，哈利・戴維斯（Harry Davids）在賓州匹
茲堡設立第一家五分錢戲院（nickelodeon），使情勢全
然改觀。一般認為五分錢戲院對於在美國推動電影院
業功不可沒，並創造出一片寬廣的藍色海洋。二十世
紀初，大多數美國人屬於勞工階級，可是劇院專門向

社會精英提供現場娛樂，例如戲劇、歌劇和雜耍。

當時，一般美國家庭平均週薪只有 12 美元，根本負擔不起現場娛樂，因為歌劇表演平均票價就要二美元，看雜耍表演也要五十分錢。對於大多數民眾，戲劇也過於嚴肅。他們沒有受過什麼教育，因此戲劇或歌劇對這些勞工階級，沒有什麼吸引力。看戲也很不方便。一週只有幾場表演，大部分戲院又設在城市高級地段，廣大勞工群眾很難前往。大多數美國人根本沒有什麼娛樂可言。

相較之下，戴維斯的戲院門票只賣五分錢（這也是戲院之所以得名的源由）。為了達到這種低廉票價，戴維斯的戲院設在租金便宜的勞工階層社區，裡面陳設非常簡單，只有長板凳和銀幕。他的訴求在於薄利多銷和便利，戲院在上午八點開門，不停地播放影片直到半夜。這些影片都是有趣的玩鬧喜劇，各種教育程度、語言或年齡的觀眾都可以接受。

勞工階級成群湧進五分錢戲院，每天約有 7000 人到這些戲院享受娛樂。 1907 年，《週六晚郵》報導，五分錢戲院每天的觀眾已超過兩百萬人 [23]。五分錢戲院迅速散播到全美各地。到了 1914 年，美國已有 1 萬

8000 家五分錢戲院，每天的觀眾達到 700 萬人[24]。這片藍色海洋已成爲一年營業額 5 億美元的龐大企業。

皇宮電影院

就在五分錢戲院的藍海達到全盛之時，1914 年羅薩斐爾（Samuel Rothapfel）在紐約市設立美國第一家皇宮電影院（Palace Theater），開始把電影的魅力推展到正在興起的中上階級。在這之前，羅薩斐爾在美國擁有幾家五分錢戲院，而他最爲人稱道的本事，就是把全國各地賠錢的戲院扭轉乾坤，經營得有聲有色。一般認爲五分錢戲院很低級幼稚，羅薩斐爾的皇宮戲院卻富麗堂皇，裝有華麗的水晶吊燈、明鏡照映的廊廳、宏偉的大門。這些戲院也提供服務生代客停車、豪華雙人座、播放有情節的長片，把看電影變成看慣歌劇或戲劇的貴客值得欣賞的娛樂，只是價格沒有那麼昂貴。

這種放映電影的皇宮非常成功。1914 年到 1922 年，美國各地開設了 4000 家新的皇宮電影院。對於各個經濟階層的美國人，看電影變成愈來愈重要的娛樂。正如羅薩斐爾指出：「提供大眾想要的東西，根

本是大錯特錯。因為，大眾根本不知道自己想要什麼
……應該給他們更好的東西。」皇宮戲院有效結合歌
劇院的觀賞環境，以及五分錢戲院的節目內容（電
影），並藉此在電影院業開啟新的藍色海洋，吸引到大
批全新觀眾，也就是中上階級群眾[25]。

　　隨著國家財富增加，美國人相繼遷往郊區，實現
擁有自己的房子、家家吃得起雞肉、戶戶車庫都停著
車的夢想，這時，進一步發展皇宮電影院的構想，終
於在 1940 年代末出現限制。郊區與大城市或大都會區
不同，無法支持豪華的龐大皇宮電影院。電影院業者
競爭的結果，郊區出現了每週只放映一部電影的小電
影院。雖然與皇宮電影院相比，經營這些小電影院比
較省錢，可是它們無法提供消費者想像的空間，無法
讓人對於外出的夜晚產生特別的感覺。它們的成敗完
全繫於播放的電影品質。如果選到不好的片子，顧客
就不想上門，電影院老闆也準定賠錢。由於電影院業
愈來愈缺乏新意，營利成長逐漸降低。

多廳電影院

　　但是，這一行又經由創造新的藍海策略，再次出

現獲利的新成長曲線。 1963年，史丹·德伍（Stan Durwood）採取一項經營策略，讓電影院業風雲再起。1920年代，德伍的父親在堪薩斯市，設立他們家族的第一家電影院；而德伍在堪薩斯市的一個購物中心設立第一家多廳電影院，爲這一行注入新活力。

多廳電影院立即掀起熱潮。它一方面讓觀眾有更多影片可以選擇，另一方面，也讓業者同時擁有不同大小的廳院，可以隨時調整放映廳，以配合各個片子的不同需要，並因此分散風險和降低成本。結果，隨著多廳電影院的藍色海洋擴及全美，德伍創辦的美國多廳電影院公司（AMC）原本只是一個小城鎮的一家電影院，躍身成爲美國第二大電影公司。

超級多廳電影院

多廳電影院在電影院業創造出獲利成長的藍色海洋。但是，到了1980年代，錄影機、衛星電視和有線電視普及，看電影的人愈來愈少。更糟的是，爲了在日益縮小的市場掌握更大的占有率，戲院老闆把電影院分割成愈來愈小的放映廳，以放映更多不同的影片。卻沒想到，這麼一來反而破壞了電影院相對於家

庭娛樂擁有的一大優勢：大銀幕。由於首輪電影上映才幾個星期，便可以出現在有線電視台和錄影帶市場，消費者因此覺得，付更多錢在只大一點點的銀幕上看電影，實在沒有什麼意思。電影院業陷入急遽衰退。

1995 年， AMC 再度改造電影院業，在美國推出第一家共有24廳的超級多廳電影院。舊式的多廳電影院經常狹窄、破舊、毫不起眼，超級多廳電影院卻提供視線毫不受阻礙的球場式座位，座椅也非常舒適，影片種類更多，聲光效果也更高級。儘管服務品質大為改善，超級多廳電影院的票價仍然低於傳統多廳電影院。這是因為超級多廳電影院設置的地點，遠離房地產價格最貴的市中心，成本節省很多。另一方面，龐大的規模也使它在購買影片和作業方面，擁有經濟效益，對片商也有更大的議價籌碼。由於24個廳足可容納市面上所有電影，電影院本身便成為吸引人潮的重心，而非電影。

1990 年代末， AMC 超級多廳電影院平均每個顧客帶來的營收，比普通多廳電影院高出8.8%。電影院的營業範圍，也就是看電影的顧客散布的地理範圍，

從1990年代的方圓兩哩，躍增至AMC超級多廳電影院的方圓五哩[26]。1995年到2001年之間，電影院觀眾從一年12億6000萬人次，增加到14億9000萬人次。超級多廳電影院只占美國所有電影院的15%，卻占整體票房收入的38%。

AMC創造的藍海策略非常成功，其他業者也相繼跟進。結果，短短的時間內，就出現太多超級多廳電影院。到了2000年，由於經濟成長減緩，有許多家先後關閉。這一行顯然又到了必須開創新藍洋的時候。

這只是美國電影院業概括的演進歷史，可是就像我們討論的其他事例一樣，這段歷史也呈現一些大致相同的型態。這一行並非一直充滿魅力，我們在其中也看不到任何一家永遠傑出的公司。創造藍色海洋是讓個別公司和整個行業，出現獲利成長曲線的關鍵因素，而創造藍色海洋的主要是AMC和皇宮電影院之類的固有業者。正如這段歷史所顯示，AMC先後率先推出多廳電影院和超級多廳電影院，在美國電影院業開創藍海，兩度改造整個產業的發展方向，也兩度把本身的營利和成長推向新的高峰。這些藍海的核心，不是科技創新本身，而是由價值推動的創新，也就是我

們所謂的價值創新。

結語

　　縱觀這三個行業的發展簡史，我們發現，一家公司能不能達到獲利型成長，主要繫於它在本業接連不斷創造藍海的過程中，能否持續搶占前鋒。任何公司都很難永遠稱霸業界；到目前為止，沒有一家公司能夠長期在本行中，持續開發出藍色海洋。但是，各產業的金字招牌，經常是能夠自我改造，一再創造出新市場空間的企業。這麼說來，目前為止沒有永遠傑出的公司，不過藉著堅守傑出的策略實務，企業仍然有希望維持卓越。這三種代表產業呈現的藍海型態，雖然或有差異，可是與我們在研究過程中，從其他行業觀察到的型態大致符合。

附錄 B

價值創新：
策略的重建主義觀點

　　產業結構與業者策略行動的關係，基本上有兩種
截然不同的觀點。

　　策略的結構主義觀點（structuralist view）根源於
產業組織經濟學[1]。產業組織分析提出「結構—行為—
表現」模式，顯示從市場結構到行為和表現的因果關
係。由供需條件形成的市場結構（market structure），
會塑造買賣雙方的行為（conduct），並決定最終表現
（end performance）[2]。整個系統的改變，是由市場結構
之外的因素所引發，例如基本經濟情況和技術突破之
類的根本變化[3]。

在另一方面，策略的重建主義觀點（reconstruc-
tionist view）根源於內生成長（endogenous growth）理
論。這種理論可追溯到美國經濟學家熊彼德（Joseph
A. Schumpeter）當初的觀察：改變經濟結構和產業景
觀的力量，可能來自系統內部[4]。熊彼德宣稱，創新能
夠從內而生，而其主要來源在於富有創造力的企業家
[5]。但是，熊彼德理論下的創新仍是個黑盒子，因為創
新是企業家才幹的產品，不能有系統地複製。

這方面因為最近出現的新成長理論（new growth
theory）而有所推展。新成長理論顯示，經由了解創新
的型態或祕方，能夠內生複製創新[6]。這種理論進展基
本上把創新的祕方，或是創新背後的知識和構想型
態，從熊彼德提出的孤單企業家劃分出來，為有系統
地複製創新開啟一條道路。但是，儘管理論上出現這
步重要進展，我們對這些祕方或型態仍缺乏了解。沒
有這種了解，就不可能把知識和構想付諸行動，以在
企業的層面上製造創新和成長。

重建主義觀點正好彌補新成長理論的不足。重建
主義觀點以新成長理論為基礎，顯示創造過程如何部
署知識和構想，為公司製造內生成長。重建主義認

為，這種創造過程能夠透過全新的方式，對現有資料和市場因素進行認知上的重建，在任何時間、任何組織出現。

這兩種觀點（結構主義和重建主義）對企業如何根據策略採取行動，影響非常深遠。結構主義觀點（或稱環境決定論）經常導出以競爭為主軸的策略思考。由於認為市場結構為既定條件，無法改變，企業試圖在現有市場空間建立穩固的競爭地位。為了維持市場地位，企業在施行策略時，專注於建立優勢以對抗競爭，通常藉著評估對手的作為，並試圖比對方做得更好。在這種競爭形態下，掌握更大的市場占有率被視為一種零和遊戲，一定要損人才能利己。因此，在供應者的方程式裡，競爭成為策略的關鍵變數。

這種策略思考，導致企業把業務劃分成具有吸引力和缺乏吸引力兩類，並據以決定是否跨足這些業務。一旦進入某種業務，它也會依據內部系統和因應競爭的能力，選擇明確的成本定位或差異化定位[7]。因此，成本和價值兩者之間，經常被視為一種取捨。由於一項業務的總體獲利水準，是由外在的結構因素決定，因此公司主要尋求搶占和重新分配財富，而不是

創造財富，於是專事瓜分成長日益受限的紅海。

　　但是，從重建主義觀點來看，策略挑戰顯得非常不同。採用這種論點的人，體認到結構和市場邊界只存在於經理人的腦中。他們不讓現有市場結構限制他們的思維，認定市場絕對存在尚待開發的更多需求，只是關鍵在於如何開發這些需求。要讓潛在的需求湧現，就要把注意力從供應面轉移到需求面，把焦點從競爭轉移到價值創新，也就是創造價值創新，以開啟新需求。公司一旦秉持這種新焦點，就有希望達成發現之旅。它們可以有系統地跨越各種現有競爭疆界進行檢討，並重新組織不同市場的現有因素，重建新的市場空間，使需求提升到新水準[8]。

　　在重建主義觀點，幾乎沒有任何業務本身具有吸引力或不具吸引力，因為業務的吸引力強弱，可以經由公司有意識的重建努力而改變。隨著市場結構在重建程序中改變，關於競爭的最佳實務，規則也會改變。因此，舊有競爭變得無關緊要。藉著刺激經濟的需求面，價值創新策略能擴大現有市場，並創造新市場。價值創新者能藉著創造新財富達到價值躍進，而不是像在傳統競爭中，犧牲對手的利益。因此，這種

策略大致是非零和遊戲，並能帶來高報酬。

那麼，像我們在太陽馬戲團所看到那種重建，與創新文獻所討論的「組合」（combination）與「再組合」（recombination）有什麼不同[9]？例如，熊彼德就把創新視爲「生產工具的新組合」。

我們從太陽馬戲團這個例子看到對需求面的專注，而再組合卻是針對供應面的努力，把現有技術或生產工具重新組合。相形之下，重建的基本要素則是跨越各種現有產業邊界普遍存在的買方價值因素（buyer value element）。這些既非科技也非生產工具。

藉著專注於供應面，再組合經常尋求用創新方式解決現有問題。相形之下，重建藉著探討需求面，脫離現有競爭法則界定的認知疆界，專注於重新定義現有問題。例如，太陽馬戲團不是藉著重新組合表演或節目的相關知識或技術，提供「更好的馬戲團」。相反的，它重建現有顧客價值因素，創造「新形態的娛樂」，結合馬戲團的刺激，以及劇場的知性。重新定義問題經常導致整個系統改變，因此策略也隨之改變；重新組合可能找到次系統活動的新解方，以強化現有策略地位。

重建措施能夠重新塑造產業的邊界和結構，創造
出由新市場空間形成的藍色海洋。另一方面，重新組
合則通常會把技術的可能性擴展到最大限度，以發掘
創新的解決方案。

附錄 C

價值創新的市場動態

　　價值創新的市場動態，與傳統科技創新形成強烈對比。後者通常訂定高價位，限制供給，甚至期初刻意提高價格，從創新賺取厚利，接著降低價格和成本，以維持市占率，並遏阻別人跟進模仿。

　　但是，不具敵對性和排他性的物資，例如知識和構想，本身即潛藏著規模經濟效益、學習效果以及報酬遞增等特性[1]，在這樣的世界裡，數量、價格和成本也變得空前重要。在這些情況下，企業應該一開始就掌握最大的目標顧客群，並用他們能夠接受的價位，提供更高的價值，以擴大市場規模。

　　正如圖表 C-1 所顯示，價值創新能大幅提升產品的吸引力，需求曲線因而從 D1 轉移到 D2。同時，就像帥奇錶，採用策略定價，價位從 P1 轉移到 P2，以期在廣大市場掌握龐大顧客群。由於物美價廉，銷售

圖表 C-1

價值創新的市場動態

量從 Q1 增加為 Q2，品牌也建立高知名度。

　　但是，這家公司同時也採行目標成本制，降低長期平均成本曲線，使長期平均成本從 LRAC1 轉移到 LRAC2，以擴大獲利能力，並防止競爭者搭便車或跟進模仿。因此，顧客獲得價值躍進，消費者剩餘（消費者願意負擔的價格與實際付出價格的差額）從 axb 擴大為 eyf。公司營利和成長也大幅增加，供給者剩餘從 abcd 擴大為 efgh。

　　在市場提供空前的價值，公司品牌得以迅速建立知名度，再加上降低成本，如果再計入規模經濟效益、學習效果和報酬遞增等因素，競爭變得幾乎無關緊要，同行難以趕上。跟著而來的是出現雙贏的市場動態，推動價值創新的企業贏得霸主地位，顧客也成為大贏家。

　　傳統上，擁有獨占地位的企業，經常出現兩種行為，而損害了社會福祉。第一，為了盡可能擴大營利，公司把價位訂得很高，讓一些想要這種產品的顧客買不起。第二，由於沒有強大競爭對手，獨占企業經常不會致力提高效率和降低成本，因此消耗更多珍貴資源。正如圖表 C-2 所顯示的，在傳統的獨占情況

下，價位從完全競爭市場的價格 P1，提高到獨占市場的價格 P2。因此，需求從 Q1 減少到 Q2。在需求水準 Q2 下，獨占企業的營利與完全競爭相比，多出了 R 區。由於廠商向消費者收取人爲訂定的高價，消費者剩餘從 C+R+D 區，縮減到剩下 C 區。同時，獨占措施會消耗更多社會資源，造成整體社會的無謂損失 D 區。因此，獨占業者的獲利是犧牲消費者利益和整體社會利益的結果。

圖表 C-2

從完美競爭到壟斷

價格：從 P1 提高到 P2
需求：從 Q1 減少到 Q2
消費者盈餘：從 C+R+D 減少到 C
獲利：壟斷者的營利增加了 R
壟斷措施對社會造成的淨虧損：D

傳統獨占業者經常採取這種搜刮式訂價，藍海策略卻反其道而行。藍海策略的焦點不是以價制量，而是以顧客負擔得起的價格，提供價值躍進，創造新的總和需求。這不僅造成強大誘因，促使企業一開始就盡可能把成本壓到最低，也鼓勵它們努力保持這種情況，以阻止競爭者搭便車或是模仿。消費者受益，社會也因為效率改善而獲益，創造了雙贏局面。顧客、企業和整體社會都達到價值突破。

注　釋

第1章

1. 如何定義市場邊界，以及競爭規則如何形成的相關討論，請見 Harrison C. White（1981）和 Joseph Porac and Jose Antonio Rosa（1996）。

2. Gary Hamel、C.K. Prahalad（1994）以及 James Moore（1996）指出，隨著市場競爭愈演愈烈、企業商品化加速，公司若想成長，創造新市場是勢在必行。

3. 自從波特（Michael Porter）提出開創性論述（1980,1985），競爭已占據了策略思考的中心。另

可見於 Paul Auerbach（1988）及 George S. Day et al.（1997）。

4. 請見 Hamel and Prahalad（1994）。

5. 請見 *Standard Industrial Classification Manual*（1987）及 *North American Industry Classification System*（1998）。

6. 同上。

7. 軍事戰略的經典著述及有關在有限領土上競爭的基礎論述，可見於 Carl von Clausewitz（1993）。

8. 相關討論可見於 Richard A. D'Aveni and Robert Gunther（1995）。

9. 關於全球化及其經濟意涵的進一步討論請見大前研一（Kenichi Ohmae〔1990,1995a, 1995b〕）。

10. United Nations Statstics Division（2002）。

11. 相關例子請參考 Copernicus and Market Facts（2001）。

12. 同上。

13. 分別出自 Thomas J. Peters and Robert H. Waterman Jr.（1982）和 Collions and Jerry Porras（1994）。

14. Richard T. Pascale（1990）。

15. Richard Foster and Sarah Kaplan（2001）。

16. 杜拉克（Peter Dracker〔1985〕）觀察到，企業經常根據競爭對手的作爲彼此競爭。

17. 本書作者（1997）早已指出，彼此較量和壓倒對手會導致模仿，而非創新，經常造成價格壓力和進一步商品化。他們主張公司應努力向顧客提供價值躍進，讓競爭本身失去意義。 Gary Hamel（1998）辯稱，不論新舊公司，成功關鍵都在於避免競爭，以及改造現有經營模式。他進一步強調（2000），成功的模式不是擺好架式準備應付競爭，而是設法迴避競爭。

18. 把創造價值做爲一種策略概念過於廣泛空洞，因爲沒有對應該如何創造價值界定範圍。例如，公司只要把成本降低2%，就可以創造價值。雖然這確實是創造價值，卻很難成爲開啓新市場空間所需的價值創新。只要用更好的方法做類似的事情，就可以創造價值，可是如不摒棄舊事物、採用新事物，或用全新方法做類似事情，就無法創造價值創新。我們的研究顯示，爲了追求創造價值的策略目標，公司經常專注於漸進式的改善獲

利。漸進式的創造價值確能創造一些價值，可是不足以使公司在擁擠的市場脫穎而出，並達到高效能業務。

19. Gerard J. Tellis and Peter N. Golder（2002）經過十年研究，發現只有不到一成的市場先驅成為企業贏家，九成以上都在商場敗下陣來。

20. 質疑這項教條的研究可見於 Charles W. L.Hill（1988）以及 R.E.White（1986）。

21. 我們的研究顯示，價值創新主要是為了重新界定產業最重要的問題，而不是對現有問題尋找解決辦法。

22. 波特（Porter, Michael 1996）曾討論哪些策略屬於價值創新的做法，哪些不是。他宣稱雖然策略應該涵蓋公司整個作業體系，但在次級系統階層仍可能出現作業改進。

23. 波特指出，在次級系統階層出現的創新，並非策略活動。

24. 同前。

25. Joe S. Bain 是結構主義觀點的先驅。請見 Bain（1956,1959）。

26. 各方說法不同，一般認為進入新領域是危險的做法。Steven P. Schnaars（1994）就指出，與模仿者相比，市場先驅處境較不利。Chris Zook（2004）也認為，脫離公司的核心業務，從事多元經營很冒險，成功的可能性低。

27. Inga S.Baird and Howard Thomas（1990）就認為，一切策略決策都牽涉了風險。

第2章

1.「另類選擇」（alternative）的範圍超過了替代品。例如，餐館是電影院的一種另類選擇，因為兩者都會爭取打算出門輕鬆一下的潛在顧客。不過餐館並非電影院的直接競爭對手，它提供的功能也不是電影院的替代品。企業能夠探究的「非顧客」可以分成三個層次。本書第3章與第5章將分別對「另類選擇」以及「非顧客」做更詳細的討論。）

第3章

1. NetJets（2004）。

2. J. Balmer（2001）。

3. 請見 http://www.marquisjet.com/vs/vscomm.html.

4. Kris Herbst（2002）。

5. 同上。

第4章

1. 關於策略計畫概述，請見 Henry Mintzberg（1994）。

2. 擁有一張「看得見」的策略草圖，可讓人獲得最清晰概念，這點可以由我們不同的感官頻寬（位元／秒）獲得證明：味覺（1000 位元／秒）；嗅覺（10 萬位元／秒）；聽覺（10 萬）；觸覺（100 萬）；視覺（1000 萬）。

3. 關於經驗學習的力量，請見 L. Borzak（1981）與 D. A. Kolb（1983）。

4. 要進一步了解彭博如何利用六種途徑之一擺脫競爭，並創造藍海，請參考第三章。

5. 請參考第五章有關非顧客群的討論。

6. 請參考第三章對六大途徑架構的完整討論。

7. 請見 *Korea Economic Daily*（2004）。

第 5 章

1. 參見 Committee on Defense Manufacturing
   （1996）、James Fallows（2002）以及 John Birkler
   et al.（2001）。

2. Department of Defense（1993）。

3. 關於聯合戰鬥機的進一步資訊，請見 Bill Breen
   （2002）、Fallows（2002）、Federation of Atomic
   Scientists（2001）、David H. Freedman（2002）、
   Nova（2003）以及 United States Air Force
   （2002）。

4. 由於 JSF F-35 策略從構思到 2010 年實際交貨，中
   間幾乎長達十年，因此它最後能否成功還難以定
   論。這段期間，隨著軍方和五角大廈人事更迭，
   政府的挑戰在於維持 JSF 的價值曲線，絕不可陷入
   爭取「只要多一點點」獨特性的討價還價，並形
   成「國防交易惡性循環」，導致成本飛漲，價值曲
   線之模糊。為了避免這種情況，五角大廈必須與
   洛克希德—馬丁合作，確保每個軍種遵守 JSF F-35
   的策略草圖。到目前為止，情況還不錯，不過軍
   方不能稍有鬆懈。這是個還在進行的任務。

第6章

1. 網路外部性的定義與討論首見於 Rohlfs（1974）。近期相關研究，請參考 Katz and Shapiro（1994）。

2. 參見 Kenneth J. Arrow（1962）和 Paul Romer（1990）。值得注意的是，他們在討論非競爭物資和無排他性物資時，範圍都只限於科技創新，而這也是經濟學的傳統。一旦把創新的觀念重新定義為價值創新，非競爭和無排他性觀念的重要性更為顯著，因為科技創新比較容易取得專利保護，所以經常擁有更大的排他性。

3. 請見 Ford Motor Company（1924）及 William J. Abernathy and Kenneth Wayne（1974）。

第7章

1. *New York Post*（1990）。

2. 「引爆點」一詞首次應用在社會行為研究領域，是在葛洛金斯（Morton Grodzins）1957 年提出的種族隔離研究報告中。馬里蘭大學經濟學家 Thomas Schelling 就此做更完整的演繹（1978）。葛拉威爾（Malcom Gladwell）的《引爆趨勢》（2000）一

書，使這種觀點更爲流行，也把這個名詞變成通
行語言。

3. Joseph Ledoux（1998）與 J.S. Morris et al.
（1998）。

4. Baddely（1990）and Kolb（1983）。

5. 關於破窗效應理論，參看 James Q. Wilson and
George Kelling（1982）。

第8章

1. Thibaut and L. Walker（1975）。

2. 後來的研究，如泰勒（Tom R. Tyler）和林德（E.
Allan Lind），把公平程序的力量推展到文化和社會
領域。關於兩人的研究和相關工作，參見 Tom R.
Tyler and E. Allan Lind（1988）。

3. 關於自動自發合作的討論，請參見 C. O'Reilly 和 J.
Chatman（1986），D. Katz（1964）以及 P.M. Blau
（1964）。

4. F. Herzberg（1966）。

附錄 A

1. 關於創造性破壞的討論，參見 Joseph A. Schumpeter（1934, 1975）。

2. *New York Times*（1906）。

3. *Literary Digest*（1899）。

4. Bruce McCalley（2002）。

5. William J. Abernathy and Kenneth Wayne（1974）。

6. Antique Automobile Club of America（2002）。

7. Alfred P. Sloan（1965）：150。

8. Mariana Mazzucato and Willi Semmler（1998）。

9. Lawrence J. White（1971）。

10. *Economist*（1981）

11. Sanghoon Ahn（2002）。

12. Walter Adams and James W. Brock（2001），Table 5.1, Figure 5-1: 116-117。

13. Andrew Hargadon（2003）：43。

14. International Business Machines（2002）。

15. Regis McKenna（1989）：24。

16. *A+ Magazine*（1987）：48-49；*Fortune*（1982）。

17. Otto Friedrich（1983）。

18. 同上。

19. IBM電腦售價是2565美元，比售價1200美元的蘋
果電腦稍貴一點，可是IBM電腦包括顯示器，蘋
果卻不附顯示器。

20. History of Computing Project（accessed 28 June
2002）。

21. *Financial Times*（1999）。

22. Hoovers Online（accessed 14 March 2003）。

23. Digital History（2004）。

24. Screen Source（2002）。

25. 有趣的是，1924年的一份調查，詢問電影院顧
客，電影院的哪一點對他們最有吸引力，結果
28%提到音樂，19%提到工作人員彬彬有禮，
19%喜愛電影院的舒適裝潢，15%認為電影院有
吸引力。只有10%的人提到電影本身（R.
Koszarski, 1990）。1922年接受意見調查的電影院
老闆，也有24%表示，電影劇情好壞與票房成敗
毫無關係，真正重要的是其他的周邊配套（資料
來源同前）。事實上，當時的電影院廣告，對音樂
的著墨往往不及對電影本身的介紹。1926年，電

影音響科技問世，電影院現場音樂演奏（樂隊、
管絃樂團和有關費用）的分量，比重也大爲減
少。提供典雅裝潢、華麗環境，以及代客泊車等
額外服務的皇宮電影院，正好塡補這段轉變期間
的需求，十多年間盛極一時。直到二次大戰後，
美國人開始大批遷往郊區小鎭定居，才逐漸走下
坡。

26. Screen Source（2002）。

附錄 B

1. 產業組織經濟學的結構主義學派，起源於班恩
   （Joe S. Bain）的「結構—行爲—表現」模式。
   Bain 利用跨產業的實證架構，專門探討結構對表
   現的衝擊。請參看 Bain（1956, 1959）。

2. 謝瑞爾（F.M. Scherer）根據班恩的研究，把「行
   爲」當成中介變數，舖陳「結構」與「表現」的
   因果關係。參看 Scherer（1970）。

3. 同前。

4. Joseph A. Schumptere（1975）。

5. 同前。

6. 更多關於成長理論與內生成長的討論，請參看 Paul Romer（1990, 1994），G.M. Grossman and E. Helpman（1995）。

7. 關於競爭策略的詳細討論，請參看 Michael E. Porter（1980, 1985, 1996）。

8. Kim and Mauborgne（1997a, 1999a, 1999b）。

9. Joseph Schumpeter（1934），Andrew Hargadon（2003）。

附錄 C

1. 關於報酬遞增潛質的討論，參看 Paul Romer（1986），以及 W.B. Arthur（1996）。

參考書目

A+ Magazine. 1987. "Back In Time." February, 48-49.

Abernathy, William J., and Kenneth Wayne. 1974. "Limits to the Learning Curve." *Harvard Business Review* 52,109-120.

Adams, Walter, and James W. Brock. 2001. *The Structure of American Industry*. 10th edition. Princeton, NJ: Prentice Hall.

Ahn, Sanghoon. 2002. "Competition, Innovation, and Productivity Growth: A Review of Theory and Evidence." OECD Working Paper 20.

Andrews, Kenneth R. 1971. *The Concept of Corporate Strategy*. Homewood, IL: Irwin.

Ansoff, H. Igor. 1965. *Corporate Strategy: An Analytic Approach to Business Policy for Growth and Expansion*. New York: McGraw Hill.

Antique Automobile Club of America. 2002. *Automotive History — A Chronological History*. <http://www.aaca.org/history>. Accessed 18 June 2002.

Arrow, Kenneth J. 1962. "Economic Welfare and the Allocation of Resources for Inventions," in *The Rate and Direction of Inventive Activity*, edited by R. R. Nelson. Princeton, NJ: Princeton University Press, 609-626.

Arthur, W. B. 1996. "Increasing Returns and the New World of Business." *Harvard Business Review* 74, July-August, 100-109.

Auerbach, Paul. 1988. *Competition: The Economics of Industrial Change*. Cambridge: Basil Blackwell.

Baddely, A. D. 1990. *Human Memory: Theory and Practice*. Needham Heights, MA: Allyn & Bacon.

Bain, Joe S. 1956. *Barriers to New Competition: Their Character and Consequencesin Manufacturing Industries*. Cambridge, MA: Harvard University Press.

Bain, Joe S., ed. 1959. *Industrial Organization*. New York: Wiley.

Baird, Inga S., and Howard Thomas. 1990. "What Is Risk Anyway? Using and Measuring Risk in Strategic Management," in *Risk, Strategy, and Management*, edited by Richard A. Bettis and Howard Thomas. Greenwich, CT: JAI Press Inc.

Balmer, J. 2001. "The New Jet Set." *Barron's* 19, November.

Bettis, Richard A., and Howard Thomas, eds. 1990. *Risk, Strategy, and Management*. Greenwich, CT: JAI Press Inc.

Birkler, J., et al. 2001. "Assessing Competitive Strategies for the Joint Strike Fighter: Opportunities and Options." Santa Monica, CA: Rand Corporation.

Blau, P. M. 1964. *Exchange and Power in Social Life*. New York: Wiley.（《社會生活中的交換與權力》，孫非等

譯)

Borzak, L., ed. 1981. *Field Study: A Source Book for Experiential Learning*. Beverly Hills, CA: Sage Publications.

Breen, Bill. 2002. "High Stakes, Big Bets."*Fast Company*, April.

Chandler, Alfred. 1962. *Strategy and Structure: Chapters in the History of the Industrial Enterprise*. Cambridge, MA: The MIT Press.

Christensen, Clayton M. 1997. *The Innovator's Dilemma: When New Technologies Caused Great Firms to Fail*. Boston: Harvard Business School Press. (《創新的兩難》，吳凱琳譯)

Collins, Jim, and Jerry Porras. 1994. *Built to Last*. New York: Harper Business. (《基業長青》，劉眞如譯)

Committee on Defense Manufacturing in 2010 and Beyond. 1996. *Defense Manufacturing in 2010 and Beyond*. Washington, DC: National Academy Press.

Copernicus and Market Facts. 2001. *The Commoditization of Brands and Its Implications for Marketers*.

Auburndale, MA: Copernicus Marketing Consulting.

D'Aveni, Richard A., and Robert Gunther. 1995.
*Hypercompetitive Rivalries:Competing in Highly
Dynamic Environments*. New York: Free Press.

Day, George S., and David J. Reibstein, with Robert
Gunther, eds. 1997. *Wharton on Dynamic Competitive
Strategy*. New York: John Wiley.

Department of Defense Press Conference. 1993. "DOD
Bottom Up Review." *Reuter's Transcript Report*, 1
September.

Digital History 2004. *Chronology of Film History*.
<http://www.digitalhistory.
uh.edu/historyonline/film_chron.cfm>. Accessed 4
February 2004.

Drucker, Peter F. 1985. *Innovation and Entrepreneurship:
Practice and Principles*. London: William Heinemann.
(《創新與創業精神》，蕭富峰、李田樹譯)

——.1992. *Managing for the Future*: The 1990s and
Beyond. New York: Dutton. (《杜拉克談未來管理》，
王嘉源、王柏鴻、羅耀宗譯)

Economist. 2000. "Apocalypse Now." 13 January.

——.1981. "Detroit Moves the Metal." 15 August.

——.2001. "A New Orbit." 12 July.

Fallows, James. 2002. "Uncle Sam Buys an Airplane." *Atlantic Monthly*, June.

Federation of Atomic Scientists. 2001. "F-35 Joint Strike Fighter." <http://www.fas.org/ man/dod-101/sys/ac/f-35.htm>. Accessed 21 October 2002.

Financial Times. 1999. "Compaq Stays Top of Server Table." 3 February.

Ford Motor Company. 1924. *Factory Facts from Ford*. Detroit.

Fortune. 1982. "Fortune Double 500." June.

Foster, Richard, and Sarah Kaplan. 2001. *Creative Destruction*. New York: Doubleday. (《創造性破壞》, 唐錦超譯)

Freedman, David H. 2002. "Inside the Joint Strike Fighter." *Business 2.0*, February.

Friedrich Otto. 1983. "1982 Person of the Year: The Personal Computer." *Time*.

<http://www.time.com/time/poy2000/archive/1982.html
>. Accessed 30 June 2002.

Gladwell, Malcom. 2000. *The Tipping Point: How Little
Things Can Make a Big Difference*. New York: Little
Brown & Company. (《引爆趨勢》,齊思賢譯)

Grodzins, Morton. 1957. "Metropolitan Segregation."
Scientific American 197, October.

Grossman, G. M., and E. Helpman. 1995. *Innovation and
Growth*. Cambridge, MA: The MIT Press.

Hamel, Gary, and C. K. Prahalad. 1994. *Competing for the
Future*. Boston: Harvard Business School Press. (《競
爭大未來》,顧淑馨譯)

Hamel, Gary. 1998. "Opinion: Strategy Innovation and the
Quest for Value." *MIT Sloan Management Review* 39,
no. 2, 8.

——.2000 *Leading the Revolution*. Boston: Harvard
Business School Press. (《啓動革命》,李田樹、李芳
齡譯,天下遠見出版)

Hargadon, Andrew. 2003. *How Breakthroughs Happen*.
Boston: Harvard Business School Press.

Herbst Kris. 2002. "Enabling the Poor to Build Housing:
Cemex Combines Profit and'Social Development."
Changemakers Journal, September/October.

Herzberg, F. 1966. *Work and the Nature of Man.*
Cleveland, OH: World Publishing.

Hill, Charles W. L. 1988. "Differentiation versus Low Cost
or Differentiation and Low Cost." *Academy of
Management Review* 13, July, 401-412.

Hindle T 1994. *Field Guide to Strategy.* Boston: The
Economist Books.

History of Computing Project. "Univac."
<http://www.thocp.net/hardware/ univac.htm >.
Accessed 28 June 2002.

Hofer, Charles W, and Dan Schendel. 1978. *Strategy
Formulation: Analytical Concepts.* St. Paul, MN: West
Publishing. *Hoovers Online*,
<http://www.hoovers.com/>. Accessed 14 March 2003
.International Business Machines. 2002. *IBM Highlights:
1885-196.* <http:// www-l.ibm.com/ibm/history/docu-
ments/pdf/1885-1969.pdf>. Accessed 23 May 2002.

Kanter, Rosabeth Moss. 1983. *The Change Masters: Innovation for Productivity in the American Corporation*. New York: Simon & Schuster.

Katz, D. 1964. "The Motivational Basis of Organizational Behavior." *Behavioral Science* 9,131-146.

Katz, Michael, and Carl Shapiro. 1994. "Systems Competition and Network Effects." *Journal of Economic Perspectives* 8, no. 2, 93-115.

Kim, W. Chan, and Renee Mauborgne. 1993. "Procedural Justice, Attitudes and Subsidiary Top Management Compliance with Multinational's Corporate Strategic Decisions." *The Academy of Management Journal* 36, no. 3,502-526.

——.1996. "Procedural Justice and Manager's In-role and Extra-role Behavior." *Management Science* 42, April, 499-515.

—— 1997a. "Value Innovation: The Strategic Logic of High Growth." *Harvard Business Review* 75, January-February, 102-112.

—— 1997b. "On the Inside Track." *Financial Times*, 7

April.

——.1997c. "When 'Competitive Advantage' Is Neither."*Wall Street Journal*, 21 April.

——.1997d. "Fair Process: Managing in the Knowledge Economy" *Harvard Business Review* 75, July-August.

——.1998. "Procedural Justice, Strategic Decision Making and the Knowledge Economy."*Strategic Management Journal*, April.

——.1999a. "Creating New Market Space." *Harvard Business Review* 77, January-February, 83-93.

——.1999b. "Strategy, Value Innovation, and the Knowledge Economy." *Sloan Management Review* 40, no. 3, Spring.

——.2000. "Knowing a Winning Business Idea When You See One." *Harvard Business Review* 78, September-October, 129-141.

——.2002. "Charting Your Company's Future." *Harvard Business Review* 80, June, 76-85.

——.2003. "Tipping Point Leadership." *Harvard Business Review* 81, April, 60-69.

Kolb, D. A. 1983. *Experiential Learning: Experience as the Source of Learning and Development*. New York: Prentice Hall Press.

Korea Economic Daily. 2004. 20, 22, 27 April; 4, 6 May.

Koszarski, R. 1990. *An Evening's Entertainment: The Age of the Silent Feature Picture, 1915-1928*. New York: Scribner and Sons.

Kuhn, Thomas S. 1996. *The Structure of Scientific Revolutions*. Chicago: Uni versity of Chicago Press.

Larkin, J., and H. Simon. 1987. "Why a Diagram Is (Sometimes) Worth 10,000 Words." *Cognitive Science* 4, 317-345.

Ledoux, Joseph. 1998. *The Emotional Brain: The Mysterious Underpinnings of Emotional Life*. New York: Simon & Schuster. (《腦中有情：奧妙的理性與感性》，洪蘭譯)

Lester, P. 2000. *Visual Communication Images with Messages*. Second edition. Belmont, CA: Wadsworth Publishing Company.

Lind, E. A., and T. R. Tyier. 1988. *The Social Psychology*

of Procedural Justice. New York: Plenum Press.

Literary Digest. 1899.14 October.

Markides, Constantinos C. 1997. "Strategic
Innovation."*Sloan Management Review*, Spring.

Mazzucato, Mariana, and Willi Semmler. 1998. "Market
Share Instability and Stock Price Volatility during the
Industry Life-cycle: US Automobile Industry." *Journal
of Evolutionary Economics* 8, no. 4,10.

McCalley, Bruce. 2002. *Model T Ford Encyclopedia,
Model T Ford Club of America*, May.
<http://www.mtfca.com/encyclo/ index.htm>. Accessed
18 May 2002.

McKenna, Regis.1989. *Who's Afraid of Big Blue* New
York: Addison-Wesley. (《挑戰 IBM》，李田樹譯)

Mintzberg, H. 1994. *The Rise and Fall of Strategic
Planning: Reconceiving Roles for Planning, Plans, and
Planners.* New York: Free Press.

Mintzberg, H., B. Ahlstrand, and J. Lampel. 1998. *Strategy
Safari: A Guided Tour through the Wilds of Strategic
Management.* New York: Prentice Hall. (《策略巡禮：

管理大師明茲柏格的策略管理全書》，林金榜譯）

Moore, James F. 1996. *The Death of Competition: Leadership and Strategy in the Age of Business Ecosystems*. New York: HarperBusiness.（《競爭加倍速：創新致勝》，蘇怡仲譯）

Morris, J. S., et al. 1998. "Conscious and Unconscious Emotional Learning in the Human Amygdala." *Nature* 393, 467-470.

NetJets. 2004. "The Buyers Guide to Fractional Aircraft Ownership." <http://www.netjets.com>. Accessed 8 May 2004.

New York Post. 1990. "Dave Do Something." 7 September.

New York Times. 1906. "'Motorists Don't Make Socialists,' They Say." 4 March, 12.

Norretranders, T. 1998. *The User Illusion: Cutting Consciousness Down to Size*. New York: Penguin Press Science.

North American Industry Classification System: United States 1997. 1998. Lanham, VA: Bernan Press.

Nova. 2003. "Battle of the X-Planes." PBS. 4 February.

Ohmae, Kenichi. 1982. *The Mind of the Strategist: The Art of Japanese Business.* New York: McGraw-Hill. (《公司經營策略的奧秘》，行政院經建會出版）

——.1990. *The Borderless World: Power and Strategy in the Interlinked Economy.* New York: HarperBusiness, (《無國界的世界》，黃柏祺譯）

——.1995a. *End of the Nation State: The Rise of Regional Economies.* New York: HarperCollins. (《民族國家的終結：區域經濟的興起》，李宛蓉譯）

Ohmae, Kenichi, ed. 1995b. *The Evolving Global Economy: Making Sense of the New World Order.* Boston: Harvard Business School Press.

O'Reilly, C., and J. Chatman. 1986. "Organization Commitment and Psychological Attachment: The Effects of Compliance Identification, and Internationalization on Prosocial Behavior." *Journal of Applied Psychology* 71, 492-499.

Pascale, Richard T. 1990. *Managing on the Edge.* New York: Simon & Schuster.

Peters, Thomas J., and Robert H. Waterman Jr. 1982. *In*

*Search of Excellence: Lessons from America's Best-Run
Companies.* New York: Warner Books.（《追求卓越：
美國傑出企業成功的祕訣》，天下文化出版）

Phelps, Elizabeth A., et al. 2001. "Activation of the Left
Amygdala to a Cognitive Representation of Fear."
Nature Neuroscience 4, April, 437-441.

Porac, Joseph, and Jose Antonio Rosa. 1996. "Rivalry,
Industry Models,'and the Cognitive Embeddedness of
the Comparable Firm." *Advances in Strategic
Management* 13, 363-388.

Porter, Michael. E. 1980. *Competitive Strategy.* New York:
Free Press.（《競爭策略》，周旭華譯，天下文化出
版）

——.1985. *Competitive Advantage.* New York: Free Press.
（《競爭優勢》，李明軒、邱如美譯，天下文化出版）

——.1996. "What Is Strategy?" *Harvard Business Review*
74, November-December.

Prahalad, C. K., and Gary Hamel. 1990. "The Core
Competence of the Corporation." *Harvard Business
Review* 68, no. 3, 79-91.

Rohlfs, Jeffrey. 1974. "A Theory of Interdependent
Demand for a Communications Service." *Bell Journal
of Economics* 5, no. 1 16-37.

Romer, Paul M. 1986. "Increasing Returns and Long-Run
Growth." *Journal of Political Economy* 94, October,
1002-1037.

——.1990. "Endogenous Technological Change." *Journal
of Political Economy* 98, October, S71-5102.

——.1994. "The Origins of Endogenous Growth." *Journal
of Economic Perspectives* 8, Winter, 3-22.

Schelling, Thomas C. 1978. *Micromotives and
Macrobehavior.* New York: W. W. Norton and Co.

Scherer, F. M. 1970. *Industrial Market Structure and
Economic Performance.* Chicago: Rand McNally. (《產
業市場結構與經濟績效》,蕭峰雄譯)

——.1984. *Innovation and Growth: Schumpeterian
Perspectives* Cambridge, MA: The MIT Press.

Schnaars, Steven P 1994. *Managing Imitation Strategies:
How Later Entrants Seize Markets from Pioneers.* New
York: Free Press.

Schumpeter, Joseph A. 1934. *The Theory of Economic Development*. Cambridge, MA: Harvard University Press. (《經濟發展理論：對於利潤、資本、信用、利息和景氣循環的考察》，何畏、易家詳等譯)

——.1975 (originally published 1942). *Capitalism, Socialism and Democracy*. New York: Harper.(《資本主義、社會主義與民主》，吳良健譯)

Screen Source. 2002. "US Movie Theater Facts." <http://www.amug.org/ ~scrnsrc/theater_facts.html>. Accessed 20 August 2002.

Sloan, Alfred. 1965. *My Years with General Motors*. London: Sidgwick & Jackson. (《我與通用汽車公司》，蔡進松譯)

Standard Industrial Classification Manual. 1987. Paramus, NJ: Prentice Hall Information Services.

Tellis, G., and P. Golder. 2002. *Will and Vision*. New York: McGraw Hill (《野心與願景：遲來的競爭者，為何能主宰市場？》，蔡文英譯)

Thibault, J., and L. Walker. 1975. *Procedural Justice: A Psychological Analysis*. Hillsdale, NJ: Eribaum.

Tufte, E. R. 1982. *The Visual Display of Quantitative Information*. Cheshire, CT: Graphics Press.

United Nations Statistics Division. 2002. *The Population and Vital Statistics Report*.

United States Air Force. 2002. "JSF Program Whitepaper." <http://www. jast.mil.> Accessed 21 November 2003.

von Clausewitz, Carl. 1993. *On War*. Edited and translated by Michael Howard and Peter Paret. New York: Knopf. (《克勞塞維茨戰爭論》,紐先鍾譯) von Hippel, Eric. 1988. *The Sources of Innovation*. New York: Oxford University Press.

White, Harrison C. 1981. "Where Do Markets Come From?" *American Journal of Sociology* 87, 517-547.

White, Lawrence J. 1971. *The Automotive Industry after 1945*. Cambridge, MA: Harvard University Press.

White, R. E. 1986. "Generic Business Strategies, Organizational Context and Performance: An Empirical Investigation." *Strategic Management Journal* 7, 217-231.

Wilson, James Q., and George L. Kelling. 1982. "Broken

Windows." *Atlantic Monthly*, March, vol. 249, no. 3, 29.

Zook, Chris. 2004. *Beyond the Core: Expand Your Market Without Abandoning Your Roots*. Boston: Harvard Business School Press.（《跨越擴張風險》，曾淯菁譯）

關於作者

　　金偉燦（ W. Chan Kim）是 歐 洲 管 理 學 院
（ INSEAD ） 波士頓顧問集團的韓德森（ Bruce D.
Henderson ） 策略和國際管理講座教授。在加入
INSEAD 之前，他任教於密西根大學商學院，也曾擔
任歐美和亞太地區一些多國企業的董事和顧問。他曾
發表過許多有關商業策略和管理多國企業的文章，散
見於《管理學院期刊》（ *Academy of Management*
Journal ）、《管理科學》（ *Management Science* ）、《組
織科學》（ *Organization Science* ）、《策略管理期刊》
（ *Strategic Management Journal* ）、《行政管理學季刊》

（*Administrative Science Quarterly*）、《國際商業研究期刊》（*Journal of International Business Studies*）、《哈佛商業評論》（*Harvard Business Review*）、《史隆管理評論》（*Sloan Management Review*）和其他刊物。金教授於《哈佛商業評論》發表的文章曾集結成書，暢銷全球，銷售逾 50 萬冊。他也供稿給《金融時報》（*Financial Times*）、《華爾街日報》、《歐洲華爾街日報》、《亞洲華爾街日報》、《紐約時報》、《南華早報》和其他報刊。金教授是達沃斯世界經濟論壇研究員，以及歐洲聯盟顧問委員會委員；曾獲國際商學院和艾德瑞吉・海恩斯國際商業紀念信託組織對國際企業界最佳原創報告頒發的艾德瑞吉・海恩斯獎（Eldridge Haynes Prize）。金教授也是落實各種價值創新概念的全球社區「價值創新網」（Value Innovation Network, VIN）創辦人，以及新加坡價值創新行動智庫（Value Innovation Action Tank）理事會成員。

芮妮・莫伯尼（Renée Mauborgne）是 INSEAD 傑出研究員，並於法國楓丹白露校區擔任策略和管理教授，也是世界經濟論壇研究員。她曾對商業策略和管

理多國企業發表過許多文章，散見於《管理學院期刊》、《管理科學》、《組織科學》、《策略管理期刊》、《行政管理學季刊》、《國際商業研究期刊》、《哈佛商業評論》、《史隆管理評論》和其他刊物。她在《哈佛商業評論》發表的文章曾集結成書，暢銷全球，銷售逾五十萬冊。莫伯尼教授也供稿給《金融時報》、《華爾街日報》、《歐洲華爾街日報》、《紐約時報》和其他報刊。她的研究曾獲許多報刊特別報導，包括《經濟學人》(*The Economist*)、《策略與企業》(*Strategy+Business*)、《倫敦泰晤士報》、德國《經濟週刊》(*Wirtschaftswoche*)、《工商協進會》、法國《擴展商業週刊》(*L'Expansion*)、丹麥《Børsen》報、瑞典《Svenska Dagbladet》報、《澳洲金融評論》、香港《南華早報》、《南非週日時報》、《新加坡海峽時報》、德國《Handelsblatt》報等等。莫伯尼教授曾獲國際商學院和艾德瑞吉·海恩斯國際商業紀念信託組織對國際企業界最佳原創報告頒發的艾德瑞吉·海恩斯獎。她也是落實各種價值創新概念的全球社區「價值創新網」創辦人，以及新加坡價值創新行動智庫理事會成員。

英中名詞對照

A
AMC／美國多廳電影院公司

B
batch manufacturing system
　　／成批製造系統
benchmark／標竿學習
Bratton, Bill／布拉頓
Built to Last／《基業長青》
buyer value element
　　／買方價值因素

C
chain of buyers／顧客鏈
Cirque du Soleil／太陽馬戲團
Chrysler／克萊斯勒
Cisco／思科
Compaq Computer／康柏電腦
Charles Schwab／嘉信理財公司

D
Dell Computer／戴爾電腦
Digital Equiptment Corporation
　　（DEC）／迪吉多
E
environmental determinism
　　／環境決定論

F
fair process／公平程序
fishbowl management
　　／魚缸管理法
four actions framework
　　／四項行動架構
Ford Motor Company
　　／福特汽車公司
fund management／基金管理

G
General Motors／通用汽車

H
Home Depot／家居貨棧

I
INSEAD／歐洲管理學院
In Search of Excellence
　　／《追求卓越》

J
Joint Strike Fighter（JSF）／聯合戰
　　鬥機

K
killer apps／殺手級應用

value curve／價值曲線
value innovation／價值創新
Value Innovation Network（VIN）
　　／價值創新網
Vanguard Group／先鋒集團

W
Welch, Jack／威爾許
Wireless Markup Language
　　（WML）／無線電傳輸語言